RHYNGOM

I Gerwyn, Esyllt, Rhian, Delyth a Bethan – diolch am bob her ac ysgogiad o'r dechrau un.

I Meinir – diolch am fod yn olygydd gofalus ac yn ffrind arbennig. Ac i Marged – diolch am bob adborth gwerthfawr ac am dy eiriau hael.

I Mam a Dad – diolch am roi imi'r rhyddid i wneud yr hyn dwi'n ei garu, bob diwrnod.

Ac i Steff – diolch am gyfeillgarwch dihafal.

Rhyngom

Sioned Erin Hughes

RHYBUDD: IAITH GREF A THEMÂU
A ALL BERI GOFID I RAI.

Argraffiad cyntaf: 2022

Dymuna'r cyhoeddwyr gydnabod cymorth ariannol Cyngor Llyfrau Cymru.

Gyda diolch am gael cynnwys dyfyniad o'r gerdd 'Y Gwladwr' gan Gerallt Lloyd Owen (*Cerddi'r Cywilydd*, Gwasg Gwynedd, 1972).

Cynllun y clawr: Sioned Medi Evans

Rhif Llyfr Rhyngwladol: 978-1-80099-300-6

Cyhoeddwyd ac argraffwyd yng Nghymru ar ran Llys Eisteddfod Genedlaethol Cymru gan Y Lolfa Cyf., Talybont, Ceredigion SY24 5HE
gwefan www.ylolfa.com
e-bost ylolfa@ylolfa.com
ffôn 01970 832 304
ffacs 832 782

Y mae'r goeden eleni
Yn hen, ond derwen yw hi.
O'r dderwen wyf fesen fach,
Mesen o un rymusach.
Bydded i mi egni hon,
Deunydd ei safiad union,
A rhodded ei hen wreiddiau
Reffynnau praff i'n parhau.

'Y Gwladwr' Gerallt Lloyd Owen

CYNNWYS

I fod yn fam	9
Er mwyn byw	27
Annwyl ddyddiadur	41
Adferiad	53
Rhwng dau	66
Haul llwynog	81
Mam-gu	99
Er fy mwyn fy hun	114

I fod yn fam

'Mae ar bawb hiraeth am rwbath na fedar o mo'i gael.'

— Kate Roberts

Maen nhw'n dweud bod pob hogan fach yn breuddwydio am ddiwrnod ei phriodas. Defnydd y ffrog, lliwiau'r blodau, blas y gacen. Ond ma siŵr 'mod i'n eithriad achos fues i erioed yn un am ddychmygu diwrnod y gwyn a'r gwin a'r areithiau digri. Do'n i ddim yn groen gŵydd drosta i o feddwl am wên fy ngŵr wrth iddo ofyn imi am ddawns. Do'n i ddim yn cochi wrth feddwl am yr 'O! ti'n werth dy weld' a'r 'Ti'n barod at heno?'. Dwi ddim yn gwybod pam, ond doedd meddwl am Y Diwrnod Mawr ddim yn teimlo mor fawr â hynny tu mewn imi, ddim o gwbl.

Mi ddaru Jac a finnau briodi yn y diwedd, do, ond priodas fach, dim ffŷs – dyna oedd y telerau. Ddaru ni ddim hyd yn oed ddyweddïo'n iawn, dim ond Jac yn gofyn un noson, 'Well 'ni briodi, d'wad?' a finnau'n atab, 'Ia, olreit 'ta, waeth inni wneud ddim,' a dyna ni hynny. Rhai felly ydy Jac a fi, ’dan ni ddim yn licio rhoi ffrils ar ddim. Dim ond ni a theulu oedd yn y capel, a mynd am bicnic efo ffrindiau agos i Ddinas Dinlle wedyn. Doedd yna ddim byd yn foethus am y diwrnod ond roedd yna rywbeth mor hudolus o syml yn hynny, dim ond dau yn dod at ei gilydd ac addo aros felly.

Does yna neb arall i mi ond Jac, fo ydy dechrau a diwedd bob dim. Fydda i byth yn arfer datgan fy nghariad i tuag ato mor agored, ond mi dwi’n rhoi caniatâd i mi fy hun gael gwneud heddiw. Mi dyfodd y ddau ohonom ni i fyny ochr yn ochr, yn blant bach llawn sneips a glafoer. Mae Dad wastad yn sôn am sut roedden ni’n dynwared ein gilydd pan oedden ni’n iau – os oedd Jac yn sugno ei fawd, roedd yn rhaid i minnau gael gwneud hynny hefyd. Peth arall oedd yr iaith gyfrin oedd rhwng y ddau ohonom ni, rhyw ffordd o gyfathrebu nad oedd neb arall yn medru ei deall. Ro’n i’n ei garu o’r dechrau un, ond cariad platonig oedd o bryd hynny. A’n rhieni ni’n herio y gwnaen ni ŵr a gwraig da i’n gilydd rhyw ddydd, a ninnau’n wfftio, yn dynwared taflyd i fyny, yn meddwl ein bod ni’n gwybod yn well.

Dwi’n cofio fy arddegau’n iawn, ond mae edrych yn ôl wastad yn gwneud imi wingo gan ’mod i wedi bod rêl het am gyfnod. Ro’n i’n cael fy nhynnu at y teip o hogiau oedd yn honni eu bod nhw’n dallt cerddi Yeats ac yn dewis smocio er mwyn edrych yn cŵl. Aeth un mor bell â dweud ei fod o’n meddwl amdana i bob tro roedd o’n clywed ‘Kathy’s

Song' gan Simon & Garfunkel, a fuodd jest imi briodi hwnnw yn y fan a'r lle. Ond ia, breuddwydwyr oedden ni i gyd, yn llawn angst ac yn hiraethu am rywbeth nad oedden ni'n gallu rhoi enw arno fo.

Mi gafodd Jac ei siâr o ferched hefyd. Roedd ganddo fo'r wyneb a'r carisma i wneud i bob hogan wirioni efo fo – pawb ond fi. Roedden ni'n dal yn ffrindiau pennaf, wedi hollti cnawd a rhannu gwaed hyd yn oed, ond fyth ddim mwy na hynny. Dwi'n cofio fel oedd o efo'i lyfr sgetsio, yn stopio weithia pan oedden ni ar ganol sgwrs, jest i gael dal mynegiant fy wyneb i. 'Dwisio dal yr eiliad yma, fel ti'n edrych rŵan hyn,' fyddai o'n ei ddweud, a minnau'n aros yn llonydd fel delw, yn ofn anadlu rhag chwalu'r llun.

Ddylwn i fod wedi dyfalu ei fod o'n gobeithio am rywbeth mwy rhyngom ni ein dau, ond ro'n i mor feddw ar hormons ac yn ddall i'r hyn oedd reit o flaen fy nhrwyn i. Achos ein bod ni'n dau yn ffrindiau cyn inni fod yn unrhyw beth arall, felly roedden ni wedi bod erioed. Fo oedd yn gwrando ar fy llith ddramatig ar ôl fy nhor calon diweddaraf, yn gwrando arna i'n bytheirio na fyddwn i fyth, *byth* yn gadael yr un hogyn arall mor agos imi eto, 'Llaw ar fy nghalon tro 'ma, Jac!' A fynta'n gorfod cymryd y cwbl a chau ei geg gan fod cymaint o ofn ganddo golli be oedd gennym ni o ddatgelu ei deimladau.

Mae'n gas gen i fod yn *cliché*, ond noson feddw ddaeth â'r teimladau i'r wyneb. Wedi bod allan yng Nghaernarfon oedden ni, a finnau wedi gofyn i Jac os faswn i'n cael cysgu ar ei soffa, fel ro'n i wedi ei ofyn droeon o'r blaen. A fynta'n dweud na, allai o ddim, ddim tro 'ma. Brathu ei wefus a sbio o'i gwmpas yn ei swildod, cyn dweud ei bod hi'n bryd inni siarad. Dyna pryd ddeudodd o 'mod i werth mil o ferched mewn un, ond nad oedd o isio colli ffrind o gael cariad. A finnau'n teimlo fy nhu mewn i'n gryndod gloÿnnod byw, yn rhy ifanc ar y pryd i wybod mai cariad oedd y teimlad hwnnw. Chysgais i ddim ar y soffa y noson honno.

*

Dwi'n un o chwech o blant, a fi ydy'r hynaf. Chwech ydyn ni'n dal i fod, a chwech fyddwn ni, er bod Eira wedi marw ers bron i ddeng mlynedd bellach. Fuodd hi rioed yn blentyn iach, wastad yn cario ryw 'fadwch, ac roedd hi'n methu'n glir â gorffen brawddeg heb dagu. Roedd ei hysgyfaint hi'n rhy wan i'w chario at ei deuddeg oed, ac mi fuodd hi farw ar noson wen, wen, a'r eira'n lluwchio'n dlws o gwmpas y tŷ, yn ein cau ni yn ein colled. Dyna'r tro cyntaf imi weld fy nhad yn crio.

Roedd gen i feddwl mawr o Eira fach. Ar un olwg, roedd diniweidrwydd pum mlwydd oed yn perthyn iddi, ond ar olwg arall, roedd hi'n cael ei meddiannu gan yr aeddfedrwydd hwnnw sy'n perthyn i'r ugeiniau hwyr. Doedd hi fyth yn driw i'w hoedran ei hun, roedd hynny'n sicr. Ond ei phresenoldeb oedd orau gen i. Roedd yna rywbeth mor angylaidd amdani, ei cherddediad hi'n ysgafn fel ochenaid babi. A doedd yna fyth, byth gynnwrf efo hi, er maint ei dioddef. Roedd hi'n cymryd bob ergyd efo'r gras rhyfeddaf, ac allwn i ddim llai na'i hedmygu hi. Mi adawodd fwy o argraff arna i ym more ei hoes nag y gwnaeth neb arall erioed.

Roedd Mam yn ddall. Digwydd yn raddol wnaeth o, a dwi'n trio meddwl am gymhariaeth ond does yna ddim un yn dod. Achos mae colli golwg yn rhywbeth mor anferthol, dydy? Nes y basa bob cymhariaeth yn edrych mor rhad yn erbyn yr anferthedd hwnnw. Mi fyddwn i'n meddwl yn aml am ei byd du bitsh, bol buwch hi. Yn meddwl sut oedd hi'n dod o hyd i'r un awch dros fywyd a hithau wedi colli'r hyn a oedd yn rhoi lliw, siâp a ffurf iddo. Sut deimlad oedd deffro bob bore a hithau'n dal yn nos y tu mewn iddi? Sut deimlad oedd methu â dod o hyd i'r golau?

*

Dwi'n cofio gêm y synhwyrau – allwn i fyth anghofio honno.

'Pa ogla sydd ar yr haul heddiw, Mims?'

'Ogla hiraeth, Mam. Ogla hen hafau o hel mwyar duon a chwilio am feillion pedair deilen. Ogla lwc a gobaith.'

'Y math gora o haul. Sut flas sydd ar y cymyla?'

'Mond dyrniad o gwmwl heddiw, ond mae ei flas o fel y gegiad gynta o bwdin bara.'

'Bendigedig... A'r môr, sut hwylia?'

'Yn llawn hwylia! Fel Nain Gyrn Goch pan fyddan ni'n mynd draw am de bach ar bnawnia Sadwrn. Ma'r môr yn wenau i gyd heddiw.'

'Ydy'r gwellt 'ma'n tampio, 'ta fi sy'n dychmygu petha?'

'Na, dach chi'n iawn, mae hi'n bryd inni ei throi hi, dwi'n meddwl, Mam. Dach chi'n oeri?'

'Mae 'na rwbath reit rhynllyd ynddi.'

'Lapiwch eich siôl chi'n dynnach am eich sgwydda, 'lwch.'

'Olreit, 'sa hi'n rheitiach inni ei throi hi felly. Ond Mims?'

'Ia?'

'At y mynyddoedd dwi 'di cael fy nhynnu rioed, wsti.'

'Dwi'n eich cofio chi'n deud hynny, Mam. Ma 'na fwclis o fynyddoedd yn gorwadd ar y chwith inni. Ydach chi'n cofio'u siapia nhw?'

Dwi'n cofio symud ei siôl o'r neilltu, cyn rhedeg

amlinell y mynyddoedd dros fraich noeth Mam efo fy mys.

'Mae eu siapia nhw'n dod yn ôl imi rŵan. Cofio dy daid yn dweud wrtha i mai cawr wedi caledu'n graig yn ei gwsg ydy'r fwclis honno, er na welais i mohono rioed fy hun.'

'Alla i wneud bol cwrw o Fynydd Desach, ond alla i ddim gwneud pen na chynffon o ben na chynffon y cawr.'

'Llgada pawb yn dewis be ma nhw isio'i weld, am wn i.'

'Does 'na'm byd mor onast, na chwaith mor gelwyddog â golwg, nag oes? Rŵan, ydach chi'n barod?'

'Cyn inni fynd, deud wrtha i, sut olwg sydd ar y mynyddoedd heddiw?'

Estynnais gragen o boced cesail fy nghardigan a dweud: 'Maen nhw'n edrych yn debyg iawn i'r teimlad yma,' a thynnais fys Mam drwy'r pant llyfn ar y tu mewn.

'Rioed 'di edrych cystal...' atebodd hithau efo gwên.

'Naddo, Mam. Hawdd fasa taeru fod Duw ei hun wedi bod yn taflu hud dros y copaon dros nos, a bod yr haul wedi codi'n unswydd i daro ei felyn drostyn nhw.'

*

Mi olygodd dallineb Mam 'mod i'n gwneud llawer o'r magu efo hi. Mam oedd Mam yn dal i fod, ond roedd colli ei golwg yn golygu bod yn rhaid imi dyfu'n hogan fawr dros nos ac ysgwyddo dipyn go lew o'r baich. Roedd hwnnw'n faich ro'n i'n fwy na bodlon ei gymryd, oherwydd er nad o'n i fyth yn breuddwydio am briodi – ro'n i wedi bod yn breuddwydio am gael bod yn fam. Ac roedd hwn yn bractis, ro'n i'n gallu cogio bach o fewn fy rôl, yn gallu cymryd arna i fod gen i gnawd i'w ddilladu a chega i'w llenwi.

Un o fy atgofion craidd yw fy mislif cyntaf, yr arwydd sicraf 'mod i rŵan yn ddynes, 'mod i'n mynd i allu cael faint fynnwn i o fabis. Cofio mynd at Mam a dweud, 'Mam, mae gen i wbath dwi isio'i ddweud wrthach chi', a hithau, yn ôl ei harfer, yn ateb drwy ddweud, 'Tyrd imi gael dy weld di'n iawn gynta.' Roedd Mam wastad yn dweud ei bod hi'n medru gweld efo'i bysedd, yn medru cyffwrdd croen a chreu llun iddi hi ei hun o'i chanfyddiad. Wnes i na neb arall erioed ddadlau efo hynny, fasan ni ddim yn meiddio. Ar ôl y cyffwrdd, mi ddywedais i'r Newyddion Mawr, fy nghynnwrf yn coelcerthu drwy'n llais. Ond crio ddaru Mam. Fyddai hi fyth yn arfer crio, ond roedd y tro hwn yn wahanol. Isio dangos y ffordd iawn o ddefnyddio *pad* oedd hi, ac am y tro cyntaf, mi welais hi'n diawlio ei dallineb ei hun. 'Mae mam i fod i allu *dangos* hyn i'w merch, dyna drefn pethau!' A minnau'n falch o allu ei chysuro hi yn fy ffordd famol fy hun. Mi ddaru hi lyncu ei thristwch yn y diwedd a dangos imi, er ei dallineb, a gwneud joban ryfeddol ohoni. Ond dwi'n cadw'r digwyddiad hwnnw'n dynn achos mi ges i'r fraint o weld bregusrwydd hardd fy mam, rhywbeth mor brin â lleuad Fedi.

*

Ro'n i a Jac yn gytûn o'r dechrau ein bod ni isio trio am fabi yn syth bìn ar ôl priodi. Do'n i ddim y tlysa erioed a doedd gen i ddim rhesiad o raddau serennog, ond mi ro'n i'n gwybod y byddwn i'n gwneud mam dda. Ac ro'n i wedi gweld sut yr oedd Jac efo'r plant yn yr ysgol, wedi gweld bod ganddo ffordd efo nhw. Roedd o wedi'i eni i fod yn athro ac roedd pawb am y gorau i'w osod ar bedestal, felly roedd gen i ffydd ynddo yntau fel tad. Yr unig beth oedd ar goll rŵan oedd babi.

Dwi'n cofio, ar ôl chwe mis o drio, ista ryw fora ar lawr y bathrwm a chrio. Ro'n i'n gwaedu eto, y mislif yn staenio'r cotwm gwyn a minnau wedi cael llond bol. Roedd llaw Jac ar f'ysgwydd ond do'n i ddim isio'i gyffyrddiad o, ro'n i'n ysu am gael sgrechian arno, *ar bawb*! Ond doedd 'na ddim iws i hynny achos mi o'n i'n grediniol mai arna i oedd y bai go iawn. Rhywbeth ddim cweit yn *iawn* tu mewn imi, yr wyau ddim digon croesawgar, neu ddim digon ohonyn nhw. Ro'n i wedi clywed am bethau felly, ond dach chi byth yn meddwl bod y petha 'ma'n mynd i ddigwydd i chi eich hun, na dach?

Mi es i braidd yn wirion wedyn, mi alla i gyfaddef hynny rŵan. Rhoi fy nghoesau i fyny yn erbyn wal am hanner awr ar ôl rhyw, gan 'mod i wedi darllen yn rhywle bod hynny'n gwneud gwahaniaeth. Mi yrrais i sampl gwaed, sampl gwallt, sampl o bob dim i wneud yn saff bod y fitaminau a'r mineralau yn fy nghorff i'n berffaith. Mi newidiais fy neiet, torri alcohol allan yn llwyr, trio gwneud ioga bob bore i'r *prana* gael llifo drwy fy nghorff i, ond eto, dim lwc.

Ddywedodd y doctor y dylan ni ddal i drio am chwe mis arall, ac os fasan ni'n cyrraedd pen y flwyddyn a bod 'na'n dal ddim arwydd o fabi, yna mi fasa'n siarad efo ni eto. Felly i ffwrdd â ni i drio a thrio, a thrio a thrio a thrio… a thrio. Gwneud babi oedd bob dim i fi bryd hynny. Roedd o fel rhyw gacimwnci ar fy meddwl i, yn glynu'n dynn ac yn fy nadu i rhag meddwl am ddim byd arall. Ac mi aeth fy mherthynas i a Jac braidd yn ddigon pethma. Dwi'm yn dweud, roedden ni'n cael mwy o ryw nag erioed, ond doedd yna ddim mwynhad. Mater o raid oedd o, dim ond mynd drwy'r mosiwns a syrffedu ar undonedd y peth.

Roedd o mor anodd, mor ofnadwy o unig. Dwi ddim yn gallu sbio yn ôl ar y cyfnod hwnnw'n hawdd achos mae o wedi ei foddi yn y rhwystredigaeth fwyaf imi ei theimlo erioed. Yr unig beth alla i ddweud ydy bod y flwyddyn, ar ei hyd, wedi bod yn un hollol, hollol shit. Ro'n i'n teimlo fel petawn i'n cael fy mradychu gan fy nghorff fy hun, yn trio fy ngorau i edrych ar ei ôl o ond yn derbyn diawl o ddim byd yn ôl. Roedd o'n gwrthod rhoi imi yr un peth ro'n i'n deisyfu amdano fwyaf, ac am hynny, mi ro'n i'n ffieiddio ato.

*

Do'n i ddim isio cael fy adnabod fel y fydwraig oedd yn methu â chael babis. Roedd o'n swnio mor ddigalon, mor greulon o eironig. Ond ar ôl cyrraedd pen y flwyddyn heb yr un babi, mi ddechreuodd fy ngwaith fynd yn fwrn arna i. Ro'n i'n gwybod erbyn hynny bod yn rhaid imi ddechrau meddwl am opsiynau eraill, ond doedd gen i mo'r nerth na'r galon. Achos y gwirionedd plaen ydy, mae trio a methu am flwyddyn yn dweud ar rywun, allai o ddim peidio. Mi es i i fannau tywyll iawn, a Jac hefyd. Ond roedd ganddon ni ein gilydd, ac roedd hynny'n gysur – o leiaf doedd dim rhaid imi deimlo fy ffordd drwy fy iselder ar fy mhen fy hun bach.

Dwi'n cofio un diwrnod ar y ward fel ddoe. Dynes yn dod i mewn i eni efeilliaid. Roedd hi'n cwyno fod ganddi ddigon ar ei dwylo efo'r ddau adref fel yr oedd hi, ond mi ddywedodd hi hynny efo tafod yn ei boch. A minnau'n teimlo'r genfigen fel gwenwyn y tu mewn imi, yn meddwl, *y fath fraint o gael gwneud sylw felly!* Ond roedd hi'n amlwg wedi mopio'n wirion, a dywedodd iddi fwynhau'r beichiogrwydd y tro hwn hefyd: 'Dim taflyd i fyny bob bora, dim migyrnau hen nain, ac yn eisin ar ben bob dim, mi ges i'r *pregnancy glow*!'

Roedd hi'n tylino llaw ei gŵr, yn brolio nad oedd rhaid iddyn nhw wneud nemor ddim er mwyn beichiogi. ''Dan ni'n teimlo'n ddiog, rili! Dim ond sbio arna i sy rhaid i Cleds yn fama ei neud a *hey presto*, mi fydd 'na fabi arall ar ei ffordd!' Mi gochodd ei gŵr at fôn ei glustiau a dechrau ysgytio bywyd i mewn i'r clustogau, ddim ond i gael rhywbeth i'w wneud.

Mi wrthododd epidwral ar ei ben, gan ddweud bod y boen yn rhan naturiol o'r geni. 'Dwi ddim yn dallt mamau sy'n dewis cymryd, a bod yn onast. *Diluted experience* faswn i'n galw peth felly.' Mi waeddodd dros y wlad wrth wthio, beth bynnag, ond arbedodd ddigon o egni rhwng y pwffian a'r tuchan i ganmol ei *childbearing hips* ei hun.

Ac wedyn, mi ddaeth y bychan cyntaf i'r golwg. Dwi'n cofio imi ei lapio'n daclus mewn cotwm golau ac fel magned, mi afaelodd am fy mys bach. Roedd o wedi digwydd droeon o'r blaen, ond er fy ngwaethaf, mi wnes i oedi cyn rhoi'r newydd-anedig ym mreichiau ei fam y tro hwn. Mi adawais i nefoedd ac uffern gwrdd a hawlio'r eiliad honno i mi fy hun, dim ond eiliad. Ond roedd y fam yn siarsio 'skin-to-skin!' y tu ôl imi, ac felly eto, roedd yn rhaid imi brocio fy mhroffesiynoldeb a rhoi'r personol o'r neilltu.

Mi ddaeth yr ail yn fuan wedyn a minnau'n meddwl pa mor annheg oedd hynny, ei bod hi'n cael dau a 'mod innau heb yr un. Mi wnes i sefyll yno ar y cyrion gan syllu ar lun o lawenydd a churo fy nghefn fy hun yn ddistaw bach – ro'n i wedi dal yn dda i gadw caead ar ferw pethau. Ond wrth i'r rhieni ddechrau trafod enwau, mi ges i fy maglu mwya sydyn, ac mi ddechreuodd fy nghalon deimlo fel deryn mewn jar wydr a bu'n rhaid imi fy esgusodi fy hun.

Ym mhreifatrwydd y tŷ bach, mi ges i'r rhyddid i grio nes 'mod i'n cyfogi. Do'n i ddim yn licio'r person o'n i erbyn hynny, achos do'n i ddim yn dod o hyd i lawenydd yn llawenydd rhywun arall ddim mwy. Roedd fy methiant i'n teimlo fel dant drwg yn fy mhen, a minnau'n methu â stopio rhedeg fy nhafod drosto. Sawl babi arall oedd yn rhaid imi ei osod ym mreichiau mamau eraill cyn i mi gael gafael yn fy mabi fy hun? Pam mai fi oedd yr un oedd wastad yn waglaw?

*

Mi ddechreuon ni IVF yn llawn gobaith. Roedden ni wedi argyhoeddi ein hunain, os nad oedden ni wedi llwyddo cynt, yna mi fyddai mynd o'i chwmpas hi yn y ffordd yma yn bownd o weithio. Yn un peth, roedd pob dim am y broses mor fanwl gywir, ac roedd gwyddoniaeth o'n plaid. A pheth arall oedd bod ganddon ni ddigon o bres wrth gefn, ar gyfer gwyliau yng Nghanada i fod, ond ta waeth am hynny. Yn emosiynol, ro'n i'n dal i deimlo fel deilen ar drugaredd y gwynt, yn methu'n glir â sefydlogi fy hun. Ond pan o'n i'n teimlo hynny ar ei waethaf, mi fyddai Jac yn rhwbio fy llaw ac yn sibrwd, 'Ymlaen,' ac mi fyddai hynny'n ddigon i wneud imi sadio am ryw hyd.

Ond fasa 'na ddim byd wedi gallu fy mharatoi i at y broses ei hun. Dwi'n cofio meddwl bod y rhai a oedd yn beichiogi'n naturiol yn ei chael hi mor hawdd. Roedd ganddyn nhw eu preifatrwydd, a doedd gen i ddim mymryn o hwnnw. Ro'n i'n teimlo'n robotaidd, yn rhoi pigiad i mi fy hun yn ddyddiol fel'na, a'r diawl yn brifo mwy na fasach chi'n ei feddwl. Ond roedd hyn yn bwysig i gynyddu faint o wyau ro'n i'n eu creu, meddan nhw, a mwya'n byd, gora'n byd ydy hi efo IVF.

Pan wnaethon nhw gasglu'r wyau yn y diwedd, dwi'n cofio'r olwg druenus ar wyneb y doctor. Tri wy yn unig. Mi ddaeth 'na awydd erchyll drosta i bryd hynny i ddyrnu fy nghorff a gweiddi, 'Ty'd! Gweithia!' arno fo, ond be o'n i haws. Doedd hi ddim yn ddiwedd y byd, meddai'r doctor wedyn, roedd tri yn well nag un. Ond un yn unig wnaeth ffrwythloni yn y pen draw, felly dim ond un embryo gafodd ei roi tu mewn imi, dach chi'n gweld. Mi roedd yn rhaid i fi a Jac roi ein gobeithion i gyd yn y peth bitw bach 'ma, a gweddïo y byddai'n gweithio.

Ddaru o ddim. Finnau'n gofyn i'r ddynes, 'Plis, gwiriwch yn iawn', a hithau'n ymddiheuro a dweud bod yna ddim arwydd o fywyd arall y tu mewn imi. Dwi ddim yn gwybod be oedd enw'r teimlad ddaru fy nharo i bryd hynny. Galar, efallai, achos roedd o'n debyg iawn i'r hyn deimlais i ar ôl colli Mam. Ond sut 'mod i'n teimlo galar? A oedd gen i'r hawl i deimlo felly, a finnau heb golli dim byd? Sut goblyn 'mod i'n galaru am rywbeth nad oedd erioed wedi bod?

*

Mi oedd y cyfnod a ddilynodd hynny'n gyfnod llawn babis, hyd yn oed fy ffrind gorau i'n beichiogi. Wna i fyth anghofio'r negas yrrodd hi i fi cyn inni gyfarfod am banad y diwrnod hwnnw. *Mae'n rhaid i chdi gael gwbod wbath cyn i mi dy weld di heddiw, Mims – dwi'n disgwyl. Mi fydda i'n dallt yn iawn os tisio gadal hyn at ddiwrnod arall, dwi'n gwbod pa mor shit ma petha wedi bod arna chdi.* O'n i'n ei charu hi am hynna, ac er inni'n dwy gyfarfod am banad y diwrnod hwnnw ac er imi ei chofleidio hi'n ddiffuant, roedd 'na ran fach, *fawr*, ohona i'n malu'n shitrwns.

Y noson honno, mi wnes i ddechrau trafod ail rownd

o IVF efo Jac. Dach chi'n gwybod y teimlad 'na o ddal rhywbeth yn ôl am amser mor hir, nes ei fod o bron â theimlo fel poen corfforol y tu mewn i'ch brest chi wrth ichi ei ryddhau o yn y diwedd? Felly deimlodd y siarad hwnnw. Pan ddechreuais i, doedd 'na ddim stop arna i, mi oedd rhaid imi ei gael o i gyd allan i leddfu chydig ar y drwg a oedd wedi hel y tu mewn imi.

A dwi'n cofio ymateb Jac yn iawn, neu ei ddiffyg ymateb o'n hytrach. Ddeudodd o ddim byd, dim ond gafael yn fy llaw i a gadael i'r tawelwch rhyngom esgor ar fwy o dawelwch. Mi sbiodd i lawr am amser hir, cyn codi ei lygaid ac edrych arna i efo'r piti mwyaf. Do'n i ddim yn nabod y llygaid hynny. Jac oedd yr optimydd, y teip o foi sy'n dechrau dawnsio pan mae 'na gawod yn taro. Fo ydy'r un sy'n llwyddo i 'nghodi i yn ôl ar fy nhraed os ydw i wedi bod yn stiwio yn fy nghawl fy hun yn rhy hir. Doedd ei weld o fel'ma ddim yn ei siwtio, rywsut.

'Miriam,' medda fo, 'mae'n rhaid i chdi gael seibiant. Dwinna wedi bod yn meddwl hefyd...' Ac er 'mod i isio torri ar ei draws o, isio strancio a mynnu fy ffordd fy hun, wnes i ddim. Achos 'mod i wedi blino, wedi blino efo blinder nad oedd cwsg yn gallu ei lacio. Ac mi o'n i'n gwybod efo hynny mai Jac oedd yn iawn. Do'n i ddim am allu dal ati fel hyn, ddim am allu meddwl am fabi tra o'n i'n ei chael hi'n ddigon anodd meddwl am godi o'r gwely yn y bore. Roedd gan Jac rywbeth oedd o isio'i ddweud, ac ro'n i'n mynd i wrando.

*

Wnes i ddim gofyn i Jac wneud be wnaeth o, fo oedd isio gwneud. Ro'n i'n gwybod ei fod o wedi bod yn arbed pres ar ei ben ei hun ers dyddia coleg, ac ro'n i'n gwybod hefyd fod yna swmp go lew yna. Dim pres Canada oedd o i fod, ond pres Canada fuodd o. Pedair wythnos dros yr haf, cyfle inni'n dau weithio'n ffyrdd yn ôl at ein gilydd eto. A ryw wythnos i mewn i'r gwyliau hwnnw, mi ddeffrais i un bore a meddwl, 'Be ga i i frecwast heddiw?' Mi gymrodd tan amser cinio iddi wawrio arna i nad babi oedd y peth cynta ar fy meddwl i y diwrnod hwnnw, ac allwn i ddim atal fy hun rhag gwenu. Mi ddaeth yn amlycach imi wrth i'r dyddiau fynd i'w gilydd fod babi wedi bod yn islais i fywyd bob dydd, yn rŵn i wead bob dim. *Cul de sac* emosiynol, dyna be oedd o. Ro'n i wedi anghofio sut beth oedd byw.

Canada ddoth â fi yn ôl at fy nghoed. Mis o gysgu'n dda ac o gael fy mwydo'n well. Ac mi ddoth y sglein yn ôl i'n priodas ni, ro'n i'n gallu ei weld o, yn gallu rhedeg fy mys drosto heb godi llwch. Roedden ni'n gallu bod yno efo'n gilydd eto, yn hytrach na rhannu cnawd tra bod ein meddyliau ni ar gyfeiliorn. Mi atgoffodd fi o ddechrau ein perthynas ni, pan oedd bob dim yn newydd a chyffrous, a'n gofid mwyaf oedd pwy fyddai'n rhechan o flaen y llall gyntaf.

Mae'n rhyfedd pa mor sydyn mae pethau'n newid, dydy? Cyffyrddiad ysgafn ac mi all pethau droi yn llwyr. Mi es i o fethu â chodi o fy ngwely yn y bore i fod isio dringo mynyddoedd. Mi es o fod isio sgrechian yn ddyddiol ar Jac druan i feddalu ar ei eiriau i gyd. Mi es o deimlo cenfigen bur fel emosiwn cynradd i deimlo llawenydd hollol. A phwy a ŵyr, efallai mai'r newid nesaf fydd gweld un llinell yn troi'n ddwy. Efallai ga i adael y sbyty â llond fy hafflau, yn gwybod 'mod i wedi creu cnawd arall. Efallai.

Er mwyn byw

'No one puts their children in a boat
unless the water is safer than the land.'
— Warsan Shire

Cwch

Dwi ddim yn cofio'r dyddiad. Dwi ddim yn cofio dyddiad dim byd, achos doedd gen i ddim calendr na dyddiadur. Ond hwn oedd y diwrnod ar y cwch brau oedd ddim ffit i ddal dim. Cyn i'r dŵr ddod i mewn a dechra codi at fy mhenglinia i, dwi'n cofio meddwl sut deimlad fasa boddi. Roedd hi'n amlwg erbyn hynny mai fel'na faswn i'n mynd, a faswn i byth yn ca'l tyfu i fod yn ddoctor a gwella'r holl bobl wael 'ma fel o'n i wedi addo'i neud.

Fasa fo ddim yn neis chwaith, na fasa? Marw fel'na. Dydy marw ddim yn neis ffwl stop, ond do'n i ddim isio mynd fel'na. A dwi'n cofio meddwl, i le faswn i'n mynd? Fasa Allah yn fy nghymryd i? O'n i 'di bod yn ddigon o hogyn da i fynd ato fo? Do'n i ddim digon siŵr, ond dyma'r cwestiyna oedd yn nofio o gwmpas yn fy mhen pan gyrhaeddodd y dŵr fy motwm bol i.

Roedd pawb yn sgrechian a gweddïo am yn ail erbyn hynny, a dynion mawr, deirgwaith f'oedran i'n baeddu eu hunain gan fod arnyn nhw gymaint o ofn. Faswn i'n taeru bod ewyn gwyn y tonnau yn edrych fatha llond ceg o ddannadd, a finna'n gweiddi 'Morya!' nerth esgyrn fy mhen, yn hannar gobeithio basa Mam yn clywad ac yn estyn ei breichia amdana i, a hithau filoedd o filltiroedd i ffwrdd.

Erbyn hyn, ro'n i wedi mynd i deimlo'n ddigon rhyfedd gan 'mod i ddim 'di ca'l bwyd call na dŵr glân ers hydoedd, ac roedd 'na bwys yn gwasgu ar fy stumog i. 'Nes i chwydu lot a chrio mwy, er 'mod i wedi trio actio fel dyn. O'n i isio gweiddi ar y môr i bwyllo, isio deud wbath i gael gwarad ar ei dempar o, ond ro'n i'n gwbod na fasa fo'n gwrando ar un bach fel fi, felly be o'n i haws a deud dim.

Cyn dod ar y cwch, do'n i erioed wedi gweld y môr o'r blaen, heb sôn am fod arno fo. Roedd gen i syniad reit dda amdano fo o'r hyn o'n i wedi ei ddarllan yn yr ysgol, ond wnaeth 'na 'run llyfr sôn ei fod o'n gallu troi mor gas â hyn. 'Swn i wedi licio rhyw fath o rybudd, ryw ôl-nodyn yn deud ei fod o'n gallu eich byta chi'n fyw. Ofnadwy hefyd, bod croesi wbath er mwyn cael byw yn gallu golygu marw ar y ffordd. Mi wnaeth y môr fy mradychu i, ac roedd yr annhegwch yn llosgi fel cegiad o wisgi.

Adra

Dyma ddeudodd Nain wrtha i unwaith:

'Affganistan ydy'r lle hyfryta ar wyneb y ddaear, a dy gartref di ydy calon y byd. Mi dreuliodd Allah dipyn mwy o amser yn perffeithio Affganistan – doedd 'na ddim byd yn ffwr-bwt yn y greadigaeth. Mi wnaeth yn siŵr bod yma fynyddoedd am a welat, a llynnoedd mor glir nes dy fod yn gallu gweld holl rychau dy wyneb ynddyn nhw. Fydd 'na ddim gwyrdd cyn wyrdded â thir Affganistan, a bydd yr awyr fydd yn edrych dros y bobl bob dydd yn las fel rhyddid.'

Neis 'de. Dwi mor falch 'mod i wedi cael fy ngeni yno, mor falch nes 'mod i'n teimlo weithia 'mod i'n mynd i fyrstio. Mae'r lle ben ac ysgwydd uwchben bob man arall. Dach chi'n gwbod y teimlad braf 'na o ddilyn y lôn tuag adra yn hwyr y nos ar ôl taith hir yn y car, a dach chi jest â mynd yn wirion isio cyrradd a mynd i'ch gwely cyfarwydd? Yr un ydy'r dynfa dwi'n ei theimlo bob awr o'r dydd. Ond mae'r lôn tuag adra yn shitrwns a'r gwely bellach yn ulw. Does 'na nunlle arall y baswn yn hoffi bod, ond ar yr un pryd, dwi'n diolch bob dydd nad ydw i'n dal i fod yno.

Ond roedd Affganistan fy mhlentyndod cynnar i'n wynfyd, mae'n rhaid i chi wbod hynny. Fel'na ddyla'r lle fod wedi aros. Doedd yna ddim terfyn i'w phrydferthwch, dim congl ohoni nad o'n i'n gwirioni arni.

Bwydo

Dwi ddim yn cofio adeg pan nad oedd adra yn llawn pobl, a finna'n eu nabod nhw i gyd fel cefn fy llaw. Roedd y drws wastad yn agored a fasa pawb yn cael boliad gan Mam, achos un fela oedd hi. Llenwi boliau oedd be oedd hi'n ei neud orau, a wnâi hi fyth gwyno am hynny gan ei bod hi'n cael y pleser mwya o weld platiau glân ar ddiwedd y wledd. Roedd gwahodd pobl i'r tŷ yn wbath a oedd yn cael ei groesawu'n fawr o dan god y Pashtunwali.

Pan dwi'n mynd i Affganistan yn fy meddwl rŵan, ac yn dilyn y strydoedd sy'n nadreddu at ddrws cefn fy nghartref, mae fy synhwyrau i'n llenwi efo ogla bara syth-o'r-popty ac ogla dail poethion gwyllt yn berwi ar gyfer sŵp amsar te. Arferai'r ogla fy llenwi â'r cynhesrwydd dihafal hwnnw sy'n dod o wbod eich bod chi wedi cyrraedd eich man gwarcheidiol, lle allwch chi dynnu'r masgiau a gwbod bod pawb o'ch cwmpas yn eich derbyn chi ac yn eich caru chi, yn feiau ac yn ffaeleddau i gyd.

Mae meddwl am *bolani* Mam yn tynnu dŵr o 'nannedd i. Wedi'i neud o does, roedd Mam yn arfer ei stwffio efo tatws stwnsh a chennin nes i'r cynnwys fochio allan efo bob ansh. Roedd bob cegiad yn blasu fel darn bach o nefoedd, a minnau'n pigo arno fo fel ryw dderyn i neud i'r pryd bara'n hirach. Ond yr *aushak* oedd y ffefryn, doedd 'na ddim curo ar hwnnw. Roedd y dwmplenni mor ysgafn a brau, a Mam yn eu llenwi nhw efo shibols nes fod yna gic bach siarp i'r pryd. Roedd y cwbl yn nofio mewn iogwrt trwchus, hufennog, a phob dim yn cofleidio'i gilydd fel hen ffrindiau.

Wbath i'w ddathlu oedd bwyta, ond yn bwysicach fyth, roedd o'n rwbath i'w *rannu*. Ac er bod ganddon ni gyllyll a ffyrc, roedd yn well gen i fwyta efo fy nwylo. Ro'n i'n teimlo 'mod i'n gallu mwynhau a gwerthfawrogi'r profiad o fwyta gymaint mwy drwy fwytho'r gwead rhwng bys a bawd. Petha fel'ma dwi'n hiraethu amdanyn nhw'n fwy na dim. Petha oedd yn unigryw i adra.

Colli Dad

Mae'n rhyfedd sut nad ydach chi'n gwbod eich bod chi'n deffro i ddiwrnod gwaethaf eich bywyd. Agor eich llygaid heb feddwl ei bod hi'n fore dim gwahanol i'r arfer. Tollti paned, ailgynhesu chydig o fara ddoe a rhedeg haenen o fenyn iawn yn drwch drosto. Geiriau Mam yn cydio yn y gwynt wrth imi ei heglu hi drwy'r drws, 'Bydd yn ofalus, Khushal.' A'r geiriau hynny'n magu pwysau tu mewn imi wrth i amser dynnu yn ei flaen, ac wrth i'r Taliban reoli mwy ar betha.

Dwi ddim yn cofio llawer o'r hyn ddigwyddodd wedyn. Mi ddeudodd Mam 'mod i wedi mynd i'r ysgol, wedi neud diwrnod cyfan o waith, ond dwi'n cofio'r un dim. Dyna sy'n digwydd pan mae'r ymennydd yn wynebu trawma, am wn i, mae 'na haenen o gaddug yn cael ei lluchio dros bob dim er mwyn gwarchod y sawl sy'n ei brofi o. Ches i rioed wbod yn iawn be ddigwyddodd i Dad, ddim y cwbl, a faswn i ddim isio chwaith. Dwi wedi gweld dynes yn cael ei cholbio i farwolaeth efo cerrig gan y Taliban a hyd heddiw, dwi ddim yn siŵr be wnaeth hi, felly dwi'n gweddïo efo holl nerth fy mod na chaf i fyth wbod be ddigwyddodd i Dad. Ond dyna'r pris drud fuodd yn rhaid iddo fo ei dalu am fynnu dal ati i addysgu merched, er bod hynny'n *haram* dan drefn y Taliban.

Pan ddeudodd Mam yn ei ffordd stöic arferol ei fod o wedi mynd, ro'n i'n gwbod, y tu ôl i'r ffasâd, bod ei thu mewn hi wedi torri mewn ffordd na fedr neb fyth ei roi yn ôl at ei gilydd eto. Anghofia i fyth sut deimlodd o. Dwi'n cofio mai'r emosiwn a deimlais i gryfa oedd ofn. Wnaeth 'na neb ddeud wrtha i am hynny, bod colli mor debyg i ofn. Teimlo rhyw geudod diwaelod tu mewn imi yn chwyddo mwy efo bob eiliad. Roedd gen i ofn dyfnder fy nheimladau fy hun. A minnau'n meddwl mai fi yn unig oedd erioed wedi teimlo felly, mai dim ond fi oedd wedi teimlo'r anferthedd estron hwnnw na ddylai yr un bod dynol fyth orfod ei deimlo.

Mae'r teimlad hwnnw o ofn wedi cilio efo amser, fel gwynt yn gostegu. Ac mae'r profiad o golli a galaru wedi troi yn rwbath arall, rhwbath tebyg i gariad. Achos dyna ydy galar mewn gwirionedd, yr holl gariad dach chi isio ei roi, ond na allwch chi ei roi. Mwya dach chi'n galaru, mwya dach chi wedi'i garu. Galar ydy cariad heb unlle i fynd.

Gwersi bywyd gan Mam

Cyn mynd i gysgu, mi fydda Mam yn arfer rhoi gwers bywyd imi, un bob noson. Mi wnes i ddechra cadw rhestr o bob un, ond mi gafodd y rhestr ei gadael ar ôl pan fuodd yn rhaid i fi ffoi. Roedd y rhestr honno'n werth mwy na holl aur y byd imi, felly do'n i ddim am ddod â hi efo fi rhag ofn imi ei cholli ar y ffordd. Ond mi ddaru Mam sgwennu pwt o lythyr imi i'w gario efo fi ar y daith, a deud wrtha i am gymryd golwg drosto fo bob tro o'n i'n dechra colli calon. Mae'r llythyr yn crynhoi'r gwersi'n reit dda:

> 'Khushal, mae gen i gymaint yr hoffwn ei ddweud, ond mae rhai pethau y tu hwnt i afael iaith. Mae gen i deimlad yn fy mêr na fydda i'n dy weld di am sbel go hir rŵan, felly mae'n rhaid imi ddweud rhywbeth, *unrhyw beth* i dy gynnal di dros y blynyddoedd sydd o'th flaen, jest rhag ofn. Wna i ddim dy folicodlo di, ti'n gwybod nad ydy hynny yn fy natur i.
>
> Felly, gwell fyddai dy gynghori i fod yn ddewr ac i ymwroli. I adnabod dy werth ac i neud yn siŵr bod eraill yn ofalus efo dy fwynder. I drysori chwilfrydedd, i swcro amynedd, i beidio byth ag ymffrostio. I barchu, gan wybod mai amrywiaeth ydy'r peth gorau sy'n bod. I fwynhau'r

tawelwch, ond i wrando'n llwyr mewn cwmni. Cadwa dy ras yn agos ac wrth roi, paid â disgwyl dim yn ôl. Mae'n bwysig hefyd iti fodloni ar fyw o fewn y cwestiynau weithiau, yn hyderus y daw'r ateb rhyw ddydd ond ar yr un pryd, yn ddigon call i wybod nad fformiwla daclus ydy byw. Weithiau, does dim atebion i gwestiynau mawr bywyd, fel pam dy fod wedi colli dy dad a bod yn rhaid iti adael dy fam cyn dy bymtheg oed. Ac os byddi'n anghofio hyn i gyd, fydda i ddim dicach. Ond ga i ddweud un peth bach arall, yn y gobaith gwneith o aros efo chdi, lle bynnag yr ei di? Bydd yn garedig, Khushal. Paid â gadael i'r caredigrwydd hwnnw, sydd mor nodweddiadol o'th gymeriad, lithro o dy afael. Waeth pa mor ddrwg fydd pethau arnat, plis, gwyra at garedigrwydd.'

Ffarwelio

Mam ddaru neud y pacio i gyd. Doedd gen i ddim tamaid o syniad beth oedd o 'mlaen i pan welais i'r bag wrth droed fy ngwely un diwrnod ar ôl dychwelyd o'r ysgol. Mi es i stafell fy mrawd mawr, Awalmir, a gweld bag cyffelyb wrth droed ei wely yntau. Gwyliau yn nhŷ fy modryb, falla, ond roedd y cwlwm yn fy stumog a'r blas drwg yn fy ngheg yn awgrymu'n wahanol.

Pan es i lawr i'r gegin, roedd pen Awalmir yn ei ddwylo a'r rheiny'n gryndod byw. Mae ganddo hen arferiad gwael o wasgu ar groen ei war pan mae o dan straen, felly pan lithrodd ei law at gefn ei wddf, ro'n i'n gwbod bod wbath mawr o'i le. Trodd Mam ata i a'i hwyneb mor ddifynegiant â dalen wag.

'Does gen i ddim dewis, mae hyn er eich lles chi. Mae ganddoch chi bum munud i gael te bach, ond wedyn, mi fydd yn rhaid i chi fynd.'

'Be? Na, *Morya*, alla i ddim, dwi ddim yn barod...' meddwn i, yn teimlo'r geiriau'n sgaldio fy ngwddf.

'Nid chdi pia'r dewis, Khushal. Mi fydd ganddoch chi eich gilydd.'

Edrychais draw at Awalmir, a oedd bellach wedi codi ei ben i ddangos dau lygad gwythiennog. Chwiliais am ryw arwydd o wrthryfel ynddyn nhw, rhyw lygedyn rebelgar, ond roedden nhw'n rhy flinedig o lawer. Roedd Awalmir yn edrych mor hen yr eiliad honno. Ro'n i'n gwbod nad oedd troi'n ôl i fod.

Pan ddes yn ôl i lawr y grisiau wedyn a'r bag ar fy nghefn, roedd Mam yn disgwyl amdanom ein dau y tu allan, yn ei *burqa* gora. Ro'n i'n meddwl i ddechra bod ei choesau'n mynd i roi oddi tani, ond ymwrolodd a dal ei hun yn dalog, fel erioed. Ro'n i isio sgrechian ar ei gras hi, isio ei ysgwyd o i gyd ohoni a'i gadael hi'n fregus, jest am unwaith.

Dwi'n cofio'r ysfa a wnaeth fy meddiannu i bryd hynny. Ro'n i isio dianc oddi ar wyneb y byd, isio troi cefn ar yr holl falais ac annhegwch, dim ond codi pac a mynd. Roedd gen i fag wedi'i bacio, wedi'r cwbl… Ond ro'n i'n ddyn erbyn hynny, wedi gorfod tyfu i fyny mewn chwinciad. Mae dynion yn ein diwylliant ni yn ymfalchïo eu bod nhw'n wynebu wbath fel hyn ar ei ben, hyd yn oed os ydy'r tor calon yn brifo'n fwy na dim byd arall yn y byd.

Felly i ffwrdd â ni i'r car, a llaw fawr Awalmir yn chwys drybola o ddal f'un i mor dynn. Roedd ganddon ni ein gilydd, ac roedd hynny'n fwy nag oedd gan lawer o rai eraill a wnaeth y siwrne o'n blaenau. Mi roddodd Mam gusan fach ar dalcen y ddau ohonon ni – arwydd prin o gariad ganddi. Methodd ag atal un deigryn strae rhag llifo, ac er fy ngwaethaf, ro'n i'n falch o'i weld o, yn falch o weld y ddynoliaeth ynddi.

'Gadewch i mi ddod yn ôl atoch chi, fyth fel arall rownd. Dim ots pa mor ddrwg fydd pethau arnoch, *peidiwch* â dychwelyd.'

Ac ar hynny, gadewais yr unig adra i mi ei adnabod erioed.

Ar y lôn

Ar y dechra, roedd y smyglwyr yn llawn hyd yr ymyl o addewidion: Y gair 'gwarantu' yn cael ei daflu o un i'r llall fel tasa fo'r peth rhataf erioed. Gwarantu i ddechra mai rhyw chwe wythnos, ar y mwyaf, fasa hi'n ei gymryd i gyrraedd Lloegr. Gwarantu antur fawr ar y ffordd, gwarantu dechrau newydd sbon danlli yr ochr arall i'r dŵr. Wnes i sylweddoli'n fuan iawn mai straeon gwneud creulon oedd yr 'addewidion' yma i gyd. Roedd gorfod rhoi ein bywydau yn nwylo dieithriaid, dro ar ôl tro, yn brifo fy malchder. Ond doedd ganddon ni ddim dewis, dyna'r gwir plaen. Pan oedden nhw'n rhoi cyfarwyddyd, mi roedden ni'n dilyn fel defaid.

Mae'r cofio yn anodd. Cofio'r ferch fach yn cael ei mygu i farwolaeth yng nghefn y tryc, a'r fam yn cael ei siarsio i beidio â neud smic rhag ofn i'r plismyn wrth y tollborth ein clywed. Cofio'r boen arteithiol o fyw ar dafell o fara y dydd am wythnos, a syched mor erchyll nes rhoi ffitiau o dagu imi. Cofio gorwedd mewn carthion dynol, a'r ogla fel hen nionod. Cofio'r môr o gyrff gwantan, yn aros eu cyfle i guddio yng nghefn y lorri nesaf. A chofio'r sioc drydanol drwy fy nghorff o gael fy ngwahanu oddi wrth Awalmir; dyna'r cofio anoddaf.

Mi o'n i isio i'r Diwedd Mawr ddod erbyn hynny, isio gadael byd a oedd am y gorau i'm tynnu'n dipiau mân. Alla i ddim disgrifio mor erchyll ydy teimlo digalondid felly, teimlo nad oes gennych y capasiti emosiynol i ddelio â'r hyn fyddai'n dod nesaf. A o'n i wir yn credu bod bywyd yn werth ei fyw? Roedd y llygaid ifainc yma wedi gweld mwy nag y dylan nhw, a 'nghalon wedi profi petha mwy nag yr oedd hi'n gallu eu dal. Ond pan o'n i yno, yn troedio mor boenus o agos i'r dibyn, mi fydda llais Mam yn fy nhynnu i'n ôl gerfydd ei dwylo geirwon, ac mi fyddwn i'n symud ymlaen.

Achub

Mi faswn i'n gallu neud llun ohoni, y ddynes 'ma, achos roedd ganddi wyneb mor gofiadwy. A beth bynnag, sut allwch chi anghofio wyneb y sawl sy'n achub eich bywyd chi? Roedd ei hwyneb fel yr haul ei hun, yn grwn ac yn goleuo o garedigrwydd. Roedd ei gwallt euraid yn disgyn yn gynffonnau môr-forynion o gwmpas ei hwyneb, a'i llygaid brown mor gynnes nes gneud imi fod isio nofio ynddyn nhw. Yn fy stad i, gallwn daeru mai angel oedd hi.

Mi daflodd siôl dros fy sgwyddau a rhoddodd botel o ddŵr imi, gan ddeud ein bod ni'n agosáu at y lan. 'Ti'n saff rŵan, does dim rhaid iti boeni ddim mwy,' meddai, ac roedd ei chlywed yn deud hynny fel taenu eli'n dew dros friw. Cydiodd ei braich am fy sgwyddau esgyrnog a'm tynnu'n nes, ac allwn i ddim ag atal fy hun rhag dechra crio eto. Ro'n i'n crio fel petai diwedd y byd yn dod, ond cri o ryddhad oedd o mewn gwirionedd. O'r diwedd, roedd y ddynes annwyl hon wedi adfer fy ffydd mewn dynoliaeth. O'r diwedd, ro'n i'n gweld gweddill fy mywyd o fy mlaen.

Pen y daith

Blwyddyn gron gyfan, dyna faint gymrodd hi imi deithio hyd a lled wyth gwlad i gyrraedd tir Lloegr. Heddiw, flwyddyn yn ddiweddarach, mae'r wlad wedi derbyn fy nghais i aros yma'n barhaol. Roedd o'n deimlad od. Ro'n i wedi disgwyl teimlo'r rhyddhad yn bochio ohona i, ond yn hytrach, teimlais yn affwysol o drist. Doedd y gwreiddiau dan fy nhraed ddim yn tynnu fel roedden nhw'n arfer ei neud yn Affganistan, a doedd gofal fy nheulu maeth yn ddim o'i gymharu â chariad diamod fy nheulu'n ôl adra. Dwi'n deall rŵan bod pawb yn hiraethu am wbath na allan nhw gael gafael arno, ac alla i neud dim o fewn fy ngallu i ddofi'r hiraeth hwnnw.

Mae o'n dal i fod allan yno'n rhywle, Awalmir, dwi'n ffyddiog o hynny. Roedd ei golli o fel colli coes, ond mi ddown yn ôl at ein gilydd, mi wneith Allah yn siŵr o hynny. Ac wedyn, Mam. Mae clywed llais Mam ar y ffôn bob yn ail noson yn rhoi'r ffasiwn awch imi dros fyw. Hi sy'n cynnal yr holl rannau ohona i sydd wedi bod yn gwegian ers cyhyd. Dwi'n cael fy llorio droeon gan y cariad diderfyn dwi'n ei deimlo tuag ati, ynghyd â'r ofn dwys o'i cholli. Mae'r ofn hwnnw'n dal i deimlo fel twll yn fy mron gan mai Mam ydy hi, a Mam ydy fy mhopeth i.

Rai nosweithiau, dwi'n breuddwydio bod fy nhad yn fy nhynnu i goflaid arthaidd, ei farf yn goglais fy moch. Dwi'n gyndyn iawn o ddeffro o'r breuddwydion hynny.

Droeon eraill, bydd fy ngwaedd fy hun yn fy neffro. Bydd fy hunllefau yn diferyd o fomiau, yn gyforiog o ddarnau o gnawd a phyllau gwaed. Ar y nosweithiau hyn, byddaf yn gweddïo dros Mam a'm cymdogion yn Affganistan, yn croesi fy mysedd nad ydy'r gwirionedd cynddrwg â ffrwyth fy nychymyg i. Ond gwn yn fy nghalon ei fod yn waeth o dipyn.

Annwyl ddyddiadur

'We are all meant to shine, as children do.'
— Marianne Williamson

Dydd Mercher, 5 Rhagfyr 1990

Mi ddeudodd Mam wrtha fi heddiw bo na fabi bach yn ei bol hi, ond dwi ddim yn siŵr os ydw i'n coelio. Mi nes i ei gweld hi'n sglaffio mynydd o grempoga i de a mwy fyth o bwdin reis ar ôl swpar, felly dwi'n meddwl na chwilio am esgus ma hi gan bo hi'n rhy farus wrth bwr bwyd. Methu rheoli ei dant melys, fel ma Tada yn ei ddeud wrtha i pan fydda i'n gofyn am frechdan siwgr i frecwast weithia. Dyna ydy problam Mam hefyd, ac ma gen i biti drosti, yn teimlo bo rhaid iddi neud storis cogio-bach yn ei phen hi fel bo Tada a finna ddim yn gweld bai arni am fynd yn dew. Mam druan.

Un dda am neud storis ydy Mam. Fatha'r storis nos dawch ma hi'n eu deud wrtha fi am ddyn y lleuad a'r hogan fach ddel mewn tŵr a'r corrach blin mewn ogof ddu a lot mwy, ond hon ydy'r ora eto! Mi ofynna i i Mam fory sut ath y babi i mewn i'w bol hi, yn smalio mod i'n ei choelio hi. Dwi'n siŵr bo hi di meddwl am atab yn barod. Dwi di gofyn o'r blaen, ond bob tro dwi'n trio cal sens ma hi'n dechra chwibanu a stwna'n wirion rownd gegin gan smalio bo hi ddim yn clwad, er bo fi'n siarad yn ddigon uchal. Mi ddeudodd Ann Bryn Eithin wrtha i'n rysgol bo na dylwyth teg sbesial yn dod â babis bach maint marblis i dai pobol sydd eu hisio nhw ar ôl iddi dwyllu, a bod y babi'n mynd i mewn drw fotwm bol y ddynas pan ma hi'n cysgu. Wedyn mae o'n mynd 'pop' yn ôl allan drw'r botwm bol pan mae o di tyfu'n ddigon mawr ac yn rhoi syrpréis i bawb. Dwi'n how-goelio mai felly ma petha'n gweithio, ond ma Ann yn un ddrwg am ddeud clwydda, felly dwnim. A sut ma babi mawr yn medru cal ei wasgu yn ôl allan drw fotwm bol mor fach?

Mi hola i Mam fory, jest i gal gweld be ddeudith hi. Gobeithio ga i ddim stori cogio-bach arall yn atab, achos er cymaint dwi'n licio'r rheiny, mi fasa clwad y gwir go iawn yn braf weithia hefyd.

Dydd Sul, 9 Rhagfyr 1990

Wedi penderfynu heno bo na fabi bach yn bol Mam. Y babi sy'n gneud iddi fyta fatha het, ma siŵr. Dydy Tada prin yn cal cyfla i fyta hyd yn oed, achos ma Mam di llyfu ei blât ynta'n lân mewn dim. Ond eith Tada byth yn flin, dim ond chwerthin a gneud llgada llawn sêr ar Mam, bob tro. Mi ddeudodd o amsar swpar heno ma bo na ddim llenwi ar y bych a bo Mam ar ei chythlwng drw'r adag o'i achos o, nes ei fod o'n poeni na fydd yna ddigon o fwyd yn Siop Gongl i'n cadw ni i gyd. Mi ath Mam a Tada i hwyl ar ôl iddo fo ddeud hynny, nes imi anghofio gofyn be ma bych a cythlwng yn ei feddwl. Rhaid imi gofio gofyn fory, imi gal dallt sgyrsia pobl fawr yn well.

A fanno o'n i'n sbio'n wirion arnyn nhw'n gwenu ar ei gilydd wrth i Tada fwytho'r bol sgin Mam yn ara deg bach, fel fydda i'n ei neud efo Pwdin bob bora. A finna'n meddwl job mor dda odd Tada'n ei neud yn smalio bo na fabi yno i nadu Mam rhag mynd i deimlo'n annifyr. Ond yn sydyn, dyma Tada'n sboncio ar ei draed gan sbio ar fol Mam fel tasa fo newydd frathu ei law o.

Ma'n cicio ma'n cicio ma'n cicio! medda Mam.

Mi es i i boeni bod Mam mewn poen, achos erbyn hyn, mi odd y dagra'n powlio lawr ei hwynab hi fatha ffenast rysgol ar amsar chwara gwlyb. Mi drodd petha'n reit rhyfadd wedyn, achos mi ofynnodd Mam imi roi'n llaw i ar ei bol hi. Finna ofn dychryn fel Tada, ond yn gneud run fath achos Mam odd yn gofyn. A dyna pryd deimlis i wbath tu mewn i fol Mam yn cicio'n llaw i'n reit gas. Wel o'n i di dychryn, ac wrth studio'r bol, dyma fi'n gweld wbath yn sticio allan ohono fo, fatha tasa fo'n trio dengid drw'r croen.

Ew, be dach chi 'di fyta, Mam? medda fi efo ceg lleuad lawn.

Y babi sy'n cicio siŵr iawn! medda Tada.

Felly ma na fabi bach yn bol Mam go iawn? medda fi.

Oes, pwt, medda Tada.

Wir yr? medda fi wedyn efo llgada hannar cau fatha sbei.

Wir yr, medda Tada'n ddistaw bach, fatha carrag atab bell i ffwr.

Mi ddeudis i'r cwbl lot wrthyn nhw ar ôl hynny. Er mod i ddim isio gneud Mam yn drist, mi ddeudis i mod i'n meddwl na'r rheswm bo hi chydig bach yn dew odd achos bo hi'n haffio bwyd fel tasa na ddim fory i'w gal. Wedyn, dyma fi'n adrodd stori Ann Bryn Eithin, a deud yn reit siort mod i angan clwad y gwir.

Lwsi fach, stori cogio-bach ydy honna gan Ann, ddim felly'n union ma petha'n gweithio, medda Mam.

Sut ma petha'n gweithio ta, Mam? medda fi.

Ath Mam a Tada'n dawedog efo hynny, ond o'n i rêl madam, felly dyma fi'n siarsio bo Mam ddim yn cal deud stori cogio-bach tro ma.

Mi gei di wbod bob dim pan fyddi di chydig bach yn hŷn, Lwsi, ond mi gei di wbod be ti angan ei wbod rŵan, ydy hynny'n iawn? medda hi.

Ac er bo hynny ddim yn iawn, odd hi'n well cal clwad chydig o'r gwir na dim byd o gwbl.

Olreit ta, medda fi, a gwenu'n gam ar y ddau.

Mi ddeudodd Mam y petha neisia yn y byd i gyd wrtha fi wedyn, ac mi dwi'n gwbod bod y cwbl yn wir achos odd ei llgada hi'n feddalach na'i llgada storis nos dawch hi a'i llais hi'n ysgafn fatha plu. Mi ddeudodd hi bo hi a Tada'n caru ei gilydd yn ofnadwy a bo nhw wedi priodi cyn imi ddod i'r byd i ddangos y cariad hwnnw i bawb. Ma nhw rŵan yn gwisgo modrwya aur i gofio'r diwrnod hwnnw ac i glymu'r ddau efo'i gilydd hyd byth amen.

O'n i'n meddwl mai gwisgo nhw i edrach yn grand oddach chi, medda fi.

Mi blethodd Mam a Tada eu bysidd am ei gilydd wedyn a syllu'n hir ar llgada y naill a'r llall. Ddeudodd neb run smic, ac mi roedd wyneba'r ddau fel tasa'r leins i gyd wedi cal eu smwddio oddi arnyn nhw.

A wedyn dyma Mam yn deud:

Ar ôl i bobl briodi, ma na rai weithia'n cal plant, ti'n gweld. Mi odd Tada a finna efo gymaint o gariad tuag at ein gilydd a llawar iawn i'w sbario, ac mi deimlodd y bydysawd y cariad dros ben hwnnw a phenderfynu bo hi ond yn deg ein bod ni'n ei rannu o efo rhywun. Felly mi drefnodd y duwia ymysg ei gilydd bo na fabi bach yn mynd i ddechra tyfu yn fy mol i. Hitia befo sut ddigwyddodd y cwbl, tydy hynny ddim yn bwysig am rŵan. Be sy'n bwysig ydy bo ni wedi medru rhannu'r cariad hwnnw efo chdi, a bo na ddigon o gariad yn weddill i'w rannu efo un bach arall. Wti'n fodlon ar hynny?

Ac mi o'n i'n ddigon bodlon, achos mi o'n i wedi dotio gymaint ar eiria Mam nes mod i jest isio i amsar gwely ddod fel mod i'n gallu sgwennu bob dim i lawr yn fama cyn imi anghofio. Dwi wedi sgwennu toman heno nes bod fy llaw fach i'n brifo, felly mi wna i stopio rŵan. Mi dwi am fynd i orfadd ar fy ngwely a meddwl sut beth ydy teimlo cariad fatha cariad Mam a Tada. Ma siŵr ei fod o'n deimlad braf. Ella fydd gen inna gariad pan fydda i di tyfu'n hogan fawr hefyd, ond dwi ddim isio sws fatha fydd Tada yn ei rhoi i Mam chwaith, achos dwi ddim yn licio'r sŵn. Ond mi fasa'n neis cal rhywun i blethu ei fysidd am fy rhai i, ac i ddeud petha ffeind wrtha i bob hyn a hyn efo llgada llawn sêr.

Dydd Mercher, 1 Mai 1991

Twm bach wedi cyrradd heddiw, ond doddan ni ddim yn ei ddisgwyl o am ddeufis arall yn braf. O'n i'n meddwl bod hynny fymryn yn bowld achos dodd Mam a Tada ddim wedi cal cyfla i brynu pram a ballu iddo fo eto. Ond ma siŵr bo hi di dechra mynd yn reit gyfyng i mewn yn fanna, ac ynta methu mestyn ei goesa run fath wrth iddo fo brifio, felly alla i ddim gweld gormod o fai arno fo am fod isio chydig o stretsh.

Ond wedi imi gyrradd tŷ, dodd na neb yn gegin, felly dyma fi'n dilyn sŵn Mam odd yn mewian yn rwla fatha Pwdin pan ma hi isio llefrith a bara. Yn parlwr gora odd y ddau. Tada'n cerddad nôlamlaen, a Mam ar lawr yn chwysu a'i choesa hi'n gorad led y pen o dan y blancad felfad, yn udo drw ei dagra:

O! Lle mae o, Robat?

A Tada'n sboncio yn ôl ati gan fwytho ei gwallt hi a deud:

Mae o ar ei ffor, Nans! Fydd o'm dau funud rŵan, nghariad i, na fydd, Lws?

Na fydd, medda finna, a gwenu'n slei bach tu mewn wrth sylwi bo fi wedi ennill y ras. Ond gwên ddigon gwamal odd hi hefyd, achos bo Mam yn edrach mor ofnadwy o sâl.

Ydy Mam yn mynd i farw? medda fi'n bowld dros bob dim, yn methu â dal ddim mwy.

Mi nath Tada neud ystum tyd yma efo'i law wedyn, felly dyma fi'n mynd i ista wrth ei ochr o, gan adal iddo fo afal yn dynn amdana i fel nath o pan ddaru Nain Talafon farw. O'n i'n poeni bo Mam am fynd a'n gadal ni go iawn wedyn, ond mi ddeudodd Tada:

Mi fydd bob dim yn iawn, Lws, siort ora, gei di weld.

Mi fydda i'n licio pan fydd Tada yn fy ngalw i'n Lws, ond nes i ddim cnesu dim at yr enw adag hynny achos odd ei lais o'n llawn cracia.

Pam bo Mam fel hyn mwya sydyn ta, Tada? medda fi.

Y babi'n cyrradd fymryn yn gynnar, wsti, torri ei fol isio dy weld di, saff ti.

Ac er mod i'n teimlo fel potal bop ar fin byrstio efo'i eiria fo, mi odd na wbath yn reit od yn ei llgada fo, fel tasan nhw'n gweld un peth ac yn deud wbath arall.

Dyma na sŵn cnocio'n dod o rwla wedyn, ac mi ath Tada yn syth am y drws gan dynnu Doctor Huws druan i mewn gerfydd ei fraich, heb ddeud helô na dim. Ond Doctor Huws ydy'r dyn clenia imi ei nabod erioed. Mae o'n ddyn o'r un hyd a lled, efo wynab mawr crwn llawn rhycha gwenu a dim blewyn ar gyfyl ei ben o. Mi odd o'n chwys drybola, a'i ben o'n sgleinio fatha jar fferins Siop Gongl ar ôl y fath siwrna. Mae o'n edrach fatha babi sydd wedi tyfu'n lot rhy fawr, feddylis i, a dyma feddwl am y babi odd ar ei ffor allan o Mam efo hynny, a mynd i deimlo'n reit sâl, yn gobeithio na fasa fo run maint â Doctor Huws.

Mi ddeudodd Tada wrtha fi i fynd i droi chydig o lastwr imi fy hun wedyn er mwyn torri sychad ar ôl rhedag gymaint. Ond cyn imi droi am y drws, dyma fo'n plygu i'w gwrcwd a rhoi ei law ar fy ysgwydd i a deud:

Yli, ma dy fam angan chydig o lonydd, wedi cal dipyn o styrbans gan fod y babi'n cyrradd fymryn yn gynnar, felly arhosa di'n gegin am ryw chwartar awr nes i fi ddod i dy nôl di, nei di?

Iawn, Tada, medda finna, mi dwi'n gwbod be i neud.

Da'r ogan, medda fynta, gan roi sws fach ar fy moch i.

Mi wranta i fod na ysbryd slei wedi gwthio'n erbyn bys y cloc yn ystod y chwartar awr honno, achos dodd na fawr o symud arno fo, a gweiddi Mam yn boddi'r sŵn tic-toc. Mi nes i osod y marblis yn nhrefn lliwia'r enfys i basio'r amsar, a nôl hancas fach a sebon wedyn i roi sglein arnyn nhw. Mi es i ati i gyfri'r sgwaria odd ar y nenfwd ar ôl hynny, ond fel o'n i'n deud y rhif 34 dyma Tada'n dod i mewn i'r gegin a finna'n neidio ar fy nhraed. Welis i rioed gymaint o sêr yn ei llgada fo o'r blaen, ac mi odd ei wên o fatha'r chwartar melon fydda i'n ei gal yn bwdin sbesial adag Dolig.

Ti isio dod i gyfarfod dy frawd bach newydd? medda fo, a finna'n teimlo fel tasa caead y botal bop wedi ffrwydro'n gorad tu mewn i fi.

Ond pan welis i o, dyma fi'n mynd i boeni braidd, achos mi odd o'n rhy goch o beth wmbrath i fod yn fabi iach.

Pam ei fod o mor goch? medda fi wrth Mam, a hitha'n hepian wrth fy ymyl i, wedi gorffan blino rhwng bob dim.

Mi setlith o erbyn fory, wsti, jest wedi cal chydig o hambýg ar y ffor allan, medda hitha.

Dydy Twm bach ddim wedi gneud llawar heddiw, dim ond crio a sugno a thorri gwynt yn bowld bob hyn a hyn, ac mi ddeudodd Tada gynna ei fod o'n pibo dros Gymru'n barod. Mi nes i chwerthin pan ddeudodd o hynny, ond mi gafodd o ffrae gan Mam achos bo pibo ddim yn air neis, ac mi ddeudodd hi wrtho fo na pw-pw ddylan ni ddeud bob tro. Ond dodd hi ddim yn flin go iawn achos mi odd y babi ar ei mynwas hi'n cadw ei chalon hi'n gynnas.

Ddeudodd Tada ei fod o prin yn pwyso mwy na dau fag mawr o siwgr ar hyn o bryd, felly dwi ddim yn cal mwytho gormod arno fo eto achos ei fod o mor fach. Ond dwi wedi bod yn rhoi o-bach i'w ben o a gadal i'w fysadd o gau'n dynn am fy mawd i. Mi odd hynny'n deimlad braf, a dodd o ddim fel tasa fo isio gollwng gafal chwaith. Dwi'n siŵr ei fod o di gwenu arna fi radag honno hefyd, ond ella mai gwynt odd ganddo fo. Dos na run dant yn ei ben o, ond mae o'n beth igon del fel arall.

Dwi'n edrach mlaen iddo fo fod yn ddigon hen i neud cacenni mwd efo fi, a neidio'r cerrig croesi yn afon Eirias a gneud tylla mewn potia jam i ddal sawl buwch goch gota adag rha a lot mwy. Ella fydd rhaid i fi aros chydig bach yn hirach nag o'n i wedi ei feddwl, ond mi ddeudodd Tada unwaith bo bob dim da werth aros amdano fo. Dwi'n meddwl bo fi'n dallt be mae o'n feddwl rŵan.

Adferiad

'Never again. Again and again and again. And again.'
— Bryony Gordon

Dan Dim Hôps, dyna be odd Dad yn galw fi pan oni'n kid bach. Cont oddo, dwi'm yn deud, a cont dio dal i fod heddiw, lle bynnag mae o a'i fodan newydd o. Gallu bod yn rili calad efo geiria fo ia, deud bo fi ddim di bod mewn yn popty ddigon hir a ballu, ddim cweit di cwcio'n iawn yn y canol. Dwi'm yn deud, nath Mam gal fi few weeks yn fuan, ond oni'n iawn ia, bach yn bony ond dim byd rhy extreme.

Actually, dach chi'n meindio bo fi ddim yn galw fo'n Dad? Marvin ydy enw fo, enw cachu os fuodd na rioed, felly Marvin fydd o o fama mlaen. Dad ydy enw rywun sy'n aros o gwmpas de, dim ffwcio i ffwr efo Davina o Durham sy efo sein 'Live, Laugh, Love' rustic yn drws tŷ. Reit, digon am hynna, be arall ti isio wbod?

Rhowch ychydig mwy o gefndir imi, Dan – lle rydych chi'n byw, gwaith ac ati.

Dim problam. Geshi'n magu yn fama, yn gwaelod dre, rioed di byw yn nunlla arall. Byth isio chwaith. Adra ia, gei di ddim lle gwell. Rogia i gyd di aros fyd, cadw cefna'n gilydd, gneud job Dad drosto fo. Ffoc, di neud o eto do! Marvin. Lle oni? O, ia, rogia. Cofio mêt fi, Tom, yn deud unwaith: 'Wbath tisio, ti'n dod ata fi a'r ogia, iawn? Mae o yn gwaed ni i edrach ar ôl 'yn gilydd sti.' Teario fyny bob tro dwi'n meddwl am hynna ia, achos oddo wir yn meddwl o fyd, ochdi'n gallu deud yn llgada fo, dead serious.

Efo job wedyn, neud few shifts yn chippie dre oni, cyn hyn i gyd ia… Joban iawn fyd, sgloffio ar y slei, Gavin ddim callach, neu os odd o'n gwbod wbath ddaru o ddim cymryd ana fo. Dyn neis oddo fyd, chwara teg, bob tro'n galw fi'n chap neu fella, gneud fi deimlo at home. Swn i'n licio mynd nôl sti, ond ar ôl bob dim…

Mi ddown ni'n ôl at hynny. Beth am yr ysgol, sut ddisgybl oeddech chi?

Sut ti'n feddwl? Dwi'n edrach fatha academic i chdi? Na, dim byd yn pen ma sti, ti clywad? Dim byd ond sŵn gwag. Oni'n god-awful, as thick as they come. Bechod, nath Mrs Greenshaw drio efo fi yn Form 3 ond odd na ddim byd yn mynd mewn, llai byth yn dod allan. Frustrating ia, gweld pawb arall yn bomio mynd efo gwaith a brên fi methu pasio basics. Ond oni'n dda yn sports, hurdles a ballu, handi bo fi'n lanky.

Reit, ocê. A beth am eich plentyndod cynnar, rhywbeth arwyddocaol wedi digwydd yr adeg honno?

Arwyddo-be?

Arwyddocaol, rhywbeth yn sefyll allan.

Got it. Dwi cofio lot o betha efo Taid ia, mynd i sgota a ballu…

Allwch chi ymhelaethu?

Ymhel-pwy?

Ymhelaethu, allwch chi fynd i fwy o fanylder…

Dallt. Person gora fi odd Taid, ac adag gora fi odd sgota, felly oni'n teimlo fatha king pan oni'n cal y ddau beth efo'i gilydd! Dodd na ddim asgwrn drwg yn Taid sti, a 'machgan i' oddo'n galw fi, bob tro. Tibo y bobl na sy'n gneud i chdi deimlo fatha bod bob dim sgen ti i ddeud yn bwysig? Un fela oddo. Dodd be oni'n ddeud yn golygu dim i Marvin ia, ond oddo'n golygu'r byd i Taid, a hynna odd yr unig beth odd yn cyfri i fi.

Cofio mynd i sgota efo fo unwaith a dal dim byd, odd hynna'n digwydd reit aml. Ond fysa Taid byth yn contio a deud bod yr holl beth yn wast ar amsar, achos oddo ddim. Odd na ddim byd yn wast pan on ni'n cwmni'n gilydd. Mi odd y noson yma'n sbeshal achos mi odd rawyr yn binc ac oddi'n edrach fatha bod na garnifal yn digwydd fyny fanna. Cofio'n llgada i'n pigo a bod jest â crio, chos dwi'n reit sofft go iawn. A medda Taid: 'Swn i'n marw'n ddyn bodlon iawn heno.' Acinel, nachdi beth mawr i ddeud, a dyma fi'n dychryn. Kid bach oni, a finna'n mynd adra i gwely noson yna a gweddïo bo Taid ddim yn mynd i farw yn nos. Mi odd o'n fyw bora wedyn, diolch byth.

A fasech chi'n deud bod eich taid yn ymddwyn yn debycach i dad na Marvin?

Wel, udan ni felma: Oni'n cal row am gachu'n clwt gan Marvin pan oni ddim mwy na babi mewn babygrows 6 months. Ond Taid, mi odd o'n newid fy nghlytia i heb golli'r wên fawr na oddi ar ei wymab o. Hynna odd o'n ddeud beth bynnag.

Ac i gael darlun mwy cyflawn o Marvin, oes yna rywbeth arall y dylwn ei wybod?

Udish i bod o'n gont, do?

Do, mi ddeallais i hynny.

Dio'm yn haeddu mwy o sylw na hynny ia. Mi odd o'n rhy eager efo'i ddyrna a'i eiria, ond y poeri odd waetha. Sa well gen i beidio...

Deall yn iawn. Deudwch imi felly, Dan, sut deimlad oedd colli'ch taid?

Hold the boat, Dr Anderson, dim rhy heavy ar y dechra fel hyn, dyna oddan ni di cytuno...

Siŵr iawn, mae'n ddrwg gen i, Dan. Beth am ichi ddeud wrtha i am eich bywyd cymdeithasol yn tyfu i fyny – a oedd gennych chi griw da o ffrindiau?

Fel nes i ddeud, ma rogia di bod yna i fi o'r dechra. Os ti'n cadw cefn fi, na i gadw cefn chdi, dyna sy'n digwydd rhwng ni'r ogia.

Ac a fyddech chi'n dweud bod alcohol wedi cael dylanwad arnoch chi ers i chi fod yn ifanc? A oedd ei gamddefnyddio'n rhywbeth cyffredin yn eich criw?

Dani am fynd i fanna, yndan, Doctor?

Dim ond os ydych chi'n barod, Dan…

*

Oddo'm llawar ar y dechra, few tins efo'r ogia ar ôl ysgol a smocio weed pan odd na stwff da yn mynd o gwmpas. Mêt fi, Tom, efo connections. Diniwad ia, a swn i'n licio sa petha di aros fela, Doctor. Edra i'm deud be swn i'n roi i fod yn ddiniwad fela eto, lle oni ddim yn gorod meddwl am y diwrnod wedyn, pryd yr unig beth odd yn bwysig odd rhoi lle ac amsar ar sesh. Odd y pres yn no biggie, a'r unig beth odd yn poeni fi odd os odd rogia yn mynd i ffeindio allan bo fi dal yn virgin. Cofio gwatsiad *The Office US* unwaith ac Andy Bernard yn deud ar diwadd: 'I wish there was a way to know you're in the good old days before you've actually left them.' Nachdi uffar o saying da, a fela dwi'n teimlo. Heinia odd y good old days ac oni'n meddwl sa nhw'n para am byth, oni *isio* iddyn nhw bara am byth.

Ond mi odd rhaid i ni dyfu fyny, dodd, a fi methu, yn teimlo bod y tools oni angan ar gyfar bod yn adult yn missing. A dyna pryd aru petha ddechra troi…

O gofio'n ôl i'r adeg honno yn eich bywyd, beth fyddech chi'n dweud oedd yn eich ysgogi i yfed? Beth oedd y rheswm tu ôl i'r weithred?

Calm down efo'r geiria mawr ma, Doctor, ond dwi'n meddwl bo fi'n dallt. Oddo jest yn wbath i'w neud, dodd, wbath i basio'r amsar, wbath i *lenwi*'r amsar. A hynna odd y broblam fwya, swn i'n ddeud, y cwbl odd ginna ni odd amsar, gormod ohono fo, peth peryg ydy hynna ia. Ac odd pawb yn neud, yn enwedig yn gwaelod dre cw. Snobs middle-class fyny'n topia dre yn sbio lawr eu trwyna ana ni, er bod pawb yn gwbod bo nhw'n downio potal o win coch bob nos rhwng amsar swpar a gwely.

Ac oedd yna reswm arall? Neu dim ond gormodedd o amser?

Ffitio mewn fyd, mashŵr. Ochdi'n edrach rêl prat os na ochdi'n neud, pobl yn troi cefn aballu, Bounty mewn bocs Celebrations job. Na, dwnim be sa rogia di ddeud wrtha fi swn i di gwrthod. Ond ŵan bo fi'n meddwl am y peth, ella bo bob un ohonyn nhw di teimlo run fath, teimlo bo nhw methu deud 'Na', bo rhaid iddyn nhw neud run peth ag oddan nhw di gweld eu tada a'u teidia yn ei neud. Achos go iawn de, Doctor, mond hynna oddan ni'n wbod. Ac ma bob dim yn hunky dory, dydy? Tan ma'r parti drosodd a ti meddwl sut ffwc ti fod i wynebu gweddill dy fywyd.

Felly dywedwch wrtha i, Dan, oedd alcohol yn rhywbeth roeddech chi'n ei weld yn aml?

O aye, odd Marvin yn waeth byth ar ôl iddo fo hitio'r botal. Cariad cynta fo odd alcohol, wastad di deud hynna, ond bod hi di mynd yn hen beth sâl ar ôl amsar, dim yn torri digon ar ei sychad o, raid iddo fo gal wbath arall, wbath cryfach. Dwnim be ydy hanas fo ŵan ia ond oddo di bod yn gneud leins ers i fi fod yn cropian, a Taid yn gorod dod draw i nôl fi pan oddo ddim yn atab ffôn gan bod o out of it. Taid nath ddeud hyn wrtha fi wedyn. Taid di gweld petha mawr, bechod…

Ac a ddywedodd eich taid unrhyw beth arall am Marvin? Pethau yr oeddech chi'n rhy ifanc i'w cofio, efallai?

Dim llawar, oddan ni'n trio peidio siarad gormod amdano fo. Ond neshi ofyn unwaith be odd y scars od ma sgen i ar braich fi, ti gweld nhw? Ac aru Taid styrbio. Ond sa Taid byth yn deud clwydda, byth yn gwrthod atab. Hynna pryd geshi wbod bod Marvin yn arfar iwsho fi fatha ashtray pan oni'n kid bach. Cont. Cont, cont, cont, alla i'm diodda fo ia! Mae o'n gneud i fi fod isio tynnu llgada fi allan fel bo fi ddim yn gorfod gweld gwymab afiach o byth eto. Falch bod o di mynd ar ôl Davina, dodd na byth groeso iddo fo'n fama beth bynnag.

Cywirwch fi os ydw i'n dweud yn anghywir yma, Dan, ond ai efo'ch taid oeddech chi'n byw?

O pan oni saith oed. Felly pan aru Nain farw, eshi fyw at Taid. Odd o'n gweithio'n iawn i bawb chos odd Marvin ddim isio fi, odd Taid di gwirioni efo fi ac oni isio edrach ar ôl yr hen foi.

Reit. Rhyfedd nad ydw i wedi'ch clywed chi'n siarad rhyw lawer am eich nain. Sut berthynas oedd honno?

Iawn, dim llawar i ddeud. Dynas glên, dynas gron. Non Gron oddan nhw'n galw hi'n rysgol medda Taid, bechod ia. Oni'n licio ista ar ei glin hi'n parlwr gora yn gwatsiad *Takeshi's Castle* a chwara efo bingo wings hi. Nain Breichia Jeli oni'n galw hi. Odd hi ddim yn rhy impressed efo hynna ond oddan ni'n dipyn o fêts, wastad yn cario Mint Imperials yn i phocad hi a wastad yn rhannu. Oddi dda fela.

Dwi'n meddwl fy mod i wedi cael darlun cymharol fanwl o'ch plentyndod chi bellach, Dan. Nawn ni symud ymlaen rŵan i siarad am y nitty gritties – ydych chi'n iawn efo hynny?

Hit me with it.

*

Felly alcohol, pryd wnaethoch chi sylweddoli bod alcohol yn troi'n broblem?

Y sip cynta, mi oni'n gwbod o'r dechra. O'r eiliad neshi flasu alcohol yn un deg dau oed, aru na wbath tu mewn fi ddeud, 'Hang on, mana wbath ddim cweit yn iawn yn fama, dio'm fod gallu gafal mor dynn…' Oni'n licio'r teimlad cynnas na yn gwaelod y mol i, mashŵr na run teimlad ydy bod efo teulu rownd tân. Swn i ddim yn gwbod, ond dwi'n gallu imaginio…

A faswn i byth jest yn cal un, be ydy pwynt hynna? Fi odd y clown odd byth yn gwbod pryd odd y parti drosodd a'r bora wedyn yn dechra. Ac oni'n gwbod ia… Oni'n gwbod mod i ar lifft odd jest yn mynd lawr, lawr, a dim ond fi fasa'n gallu gwasgu'r botwm i'w stopio fo cyn iddo fo gyrradd y llawr gwylod. Ond mi odd dal i yfad yn haws na byw efo'r cravings a'r cachu sy'n dod efo stopio. Glywis i alcoholic odd in recovery yn deud unwaith: 'Life without alcohol is a hundred times harder, but a thousand times better.' Ac mi oni isio hynna, mi oni isio bywyd gwell, ond do'n i chwaith ddim isio bywyd anoddach na'r un odd gen i'n barod.

Neshi roi pen yn tywod am hir, a deud petha hurt fatha: 'O leia dwi'm yn yfad yn bora, o leia dwi'm yn hamro four-pack o Stella cyn i fan lefrith ddod rownd gornal fel odd Marvin yn arfar neud…' In denial, dyna ma doctors fatha chi yn galw peth felly, ynde? Saff ti na dyna oddo, achos gair budur ydy alcoholic. Alcoholic ydy Marvin, a dwi *ddim* fel Marvin, iawn? Dwi *ddim*!

Helpwch eich hun i'r hancesi papur. Peidiwch â phoeni, dydy dagrau yn ddim byd nad ydy'r stafell 'ma wedi'i weld o'r blaen…

Diolch, Doctor.

Ac mi welwch chi, wrth ddod i adnabod y preswylwyr eraill, bod llawer yma'n rhannu profiadau tebyg iawn i chi.

Nice one, diolch ti.

Pan fyddwch chi'n barod, Dan, tybed allwch chi ddweud wrtha i pam eich bod yn meddwl bod alcohol, hyd yn oed yn y dyddiau cynnar hynny, wedi cael cymaint o afael arnoch chi?

Dwnim ia. Di cal fy chwara o gwmpas lot ers oni'n kid bach do, lot o emotional wounds. Ti'n gwbod fi'n deud wrtha chdi gynna bod na ddim byd ond sŵn gwag tu mewn i'r pen ma? Wel, odd tu mewn i calon fi'n waeth. Gwbod bod o'n swnio'n heavy ia, ond dwi jest yn deud y gwir. Dim deud bo fi'n heartless ydw i, ond deud bo fi mewn poen. Jest wbath gwag, gwag sydd wastad di bod yna ac yn gweiddi: 'LLENWA FI! LLENWA FI!' A hynna dwi'n neud, drosodd a drosodd efo wbath, *wbath* alla i gal gafal arno fo, ond dio byth yn deud: 'Hei, rafa ŵan, hynna'n ddigon.' Bob tro isio mwy, dim llenwi arno fo. A fi'n deud bod *rhaid* i hyn stopio, yn deud wrth y peth gwag ma mod i ddim am yfad *byth* eto. A dwi'n deud run peth eto, ac eto, ac eto, ac eto…

Y deffro bora wedyn ydy gwaetha. Teimlo bod na part bach arall ohona fi di marw ar ôl noson arall o yfad yn tŷ. Cynt, odd job fi'n chippie yn cadw fi fynd, ond hyn a hyn odd Gavin yn gallu cymyd o fi'n troi fyny'n hwyr yn hymian o booze. Edra i ddallt hynna ia, dallt bod na lein a bo fi'n croesi hi rhy aml o beth uffar. Odd o ddim yn deg ar neb, nagodd. Ond heb job, heb bres, rogia'n dechra setlo lawr efo fodins nhw, heb deulu, heb Taid... Be odd na i fi wedyn? Y cwestiwn yna odd yn dychryn fi ia, felly oni jest yn yfad fy hun i oblivion fel bo fi ddim yn gorfod gwynebu y cwestiwn tan y bora wedyn.

Ond mi rydych chi eisiau rhoi'r gorau iddi, mae hynny'n amlwg. Pam hynny? Pam rŵan?

Taid ia, sant o foi. Ffoc, ma hyn am fod yn anodd, ond bear with me. Gafodd Taid brain tumour pan oddo'n early eighties fo. Nachdi fastad o beth, a im byd odd doctors yn ei drio yn shrincio fo. Taid yn arfar deud odd o di cyfarfod match fo gan bod y tiwmor mor bengalad â fo ei hun. Bechod ia, bob tro'n gallu dod o hyd i reswm i chwerthin hydnoed yn ganol y shit, jest fela oddo.

Oni di mynd i yfad reit ddrwg byn hynna, chos oni jest methu côpio efo'r fact bo fi mynd i golli Taid. Oddo'n afiach meddwl am fyd lle dodd o ddim y person cynta oni'n gweld yn bora a'r person ola i fi weld cyn gwely. Methu imaginio peidio cal te-trwy-lefrith efo fo ar ôl cinio a gwatsiad *Deadliest Catch* wrth ochr fo ar ôl swpar. Odd o jest mor teit, a do'n i ddim isio gorod meddwl am y peth yn hirach nag odd rhaid. Dyna pryd nath y bîars droi'n spirits. Odd gweld Taid mewn poen jest yn adio mwy o boen ar y fi, ac odd gweld fi'n yfad yn adio mwy o boen ar y fo, odd wedyn yn adio hydnoed mwy o boen ar y fi – ti dallt be sgen i? Ond oni ddim yn gwbod am ffor well i ddelio efo petha, teimlo fatha na alcohol odd yr unig ffordd o ddenig. Ath o'n stick-thin erbyn diwadd, ddim yn gallu siarad lot, methu codi i fynd i toilet hydnoed. Ond oddo'n dal i wenu, a dyna dwi'n gofio ora, y wên na. Dwi'n gorod cofio hynna. Taid odd o tan y diwadd un.

Pan aru o fynd i'r lle gwell ma pawb yn sôn amdano fo, job fi odd sortio trwy petha fo. Ac oddo mor bittersweet, achos oddo fatha bod na chydig o Taid wedi aros ar ôl. Fo odd yn y llunia, a llunia da oddan nhw fyd. Fo, fi, Nain... Mam. Ar ôl cal trefn reit dda ar bob dim, odd rhaid i fi sortio'r will. Be dach chi'n galw will yn Gymraeg?

Ewyllys.

Wyllys, that's the one. A dyna pryd geshi wbod bod o di gadal y cwbl lot i fi. Dim bod hynny'n shocking na dim byd, chos oddo wastad di deud na fi fasa'n cal bob dim odd i'w enw fo. Na, dim hynna nath gal fi, ond y nodyn efo'r wyllys...

Cymerwch eich amser, Dan...

Deud oddo... Deud oddo na wish ola fo odd bod fi'n

iwsho'r pres i dalu am rehab ac i fynd i twelve-step meetings. A ti'n gwbod pam bod o'n deud hynna?

Na wn i, pam?

'Gan mai ŵyr dy daid wyt ti, nid mab dy dad.' Hynna udodd o, union fel'na. A nath o ddim stopio'n fanna...

Os ydy hyn yn ormod ichi, cofiwch fod gennym ni ddigon o sesiynau o'n blaenau i fynd at wraidd materion ehangach...

Na, na, dwi'n iawn, raid fi gal o allan. Nath o ddeud... deud bod angan i fi ddysgu na dim bai fi odd o...

Ond nid eich bai chi ydy'r yf—

Ddim hynna... Deud oddo na dim bai fi odd Mam... y gwaedu... ffaith bod hi di anadlu am y tro ola pan neshi neud am y tro cynta. Ffoc, hyn rhy heavy. Neith hynna i chi am heddiw, Doctor?

Rhwng dau

'Sometimes the loneliest place to be is in love.'

— Lang Leav

Arthur

Lewis Carroll ddeudodd, 'I knew who I was this morning, but I've changed a few times since then.' Ac mae 'na wirionedd yn hynny, oes ddim? 'Dan ni i gyd mor hylifol, mor newidiol â'r tywydd. Mae'r tywydd yn gallu dynwared pobl yn dda. Y caredigrwydd mewn haul, y cri mewn glaw, yr angerdd mewn stormydd... Ond yn ôl at be o'n i'n drio'i ddeud, mae 'na gannoedd ar filoedd o 'fi' y tu mewn i mi fy hun, pob un yn aros ei gyfle i ddod yn fyw mewn cyfnod sydd i ddod. Dwi'n gwneud synnwyr? Dwi fel dol Matryoshka, a minnau'n holi, 'Be arall dwi wedi bod yn ei guddiad?' bob tro dwi'n tynnu haenen oddi arna i fy hun i ddatgelu 'fi' arall. 'Dan ni yma i greu ein hunain yn barhaus. Ond wrth dyfu i fyny, dwi'n sylweddoli fwy a mwy mai'r hyn dwi'n ei ddeisyfu yn fwy na dim byd arall ydy hawlio'r fersiwn chwech oed ohona i yn ôl – y ddol a oedd yn ddiniwed at y bôn.

Gwil

Dwi rioed wedi cadw dyddiadur yn fy mywyd o'r blaen. Na, dwi'n dweud celwydda, ddaru Mam drio gorfodi'r arferiad arna i pan o'n i'n iau. Ond mae 'na wahaniaeth rhwng cadw wbath a chadw *at* wbath, achos mi fyddwn i'n cyrraedd pumed diwrnod y flwyddyn ac yn nogio bob tro. Ond dwi'n dechra cymryd at y syniad, alla i'm gwadu hynny. Achos heb gofnod a lluniau, be ydan ni mewn gwirionedd? Heb eiriau a lliwiau i greu bydoedd inni, be arall sydd? Mae o'n fy nychryn i, meddwl felly – meddwl nad oes yna ddim byd y tu hwnt i ffurf a siâp...

Casi wnaeth awgrymu'r peth. Dweud bod awdur sydd ddim yn cadw dyddiadur fel athro maths heb gyfrifiannell. Doedd gen i ddim ateb i hynny, achos hi oedd yn iawn. Dwi'n byw yng nghanol geiriau drwy'r dydd, bob dydd, ond wna i fyth fyfyrio ynghylch yr hyn sydd y tu mewn i mi fy hun, ddim yn uniongyrchol, beth bynnag. Mae sgwennu am fy nheimladau yn teimlo mor chwithig imi, fel trio sgwennu f'enw efo fy llaw aswy. Bosib mai ar Dad mae'r bai am hynny, achos dydy dynion go iawn ddim yn siarad am eu teimlada, siŵr! Mae ei eiria o'n dal i gau fel dwrn amdana i.

Arthur

Diwrnod crio oedd heddiw. Dwi ddim yn siŵr iawn pam, alla i ddim rhoi bys ar un peth. Mi fydda i'n crio weithiau gan fod poen yn bod, a hwnnw'n blingo fy nghalon i. Ac mi fydda i'n crio weithiau gan fod prydferthwch yn bod, a hwnnw'n cyffwrdd cymaint arna i nes fy llethu'n llwyr. A dwi'n meddwl, ai dim ond fi sydd fel yma? Ydy rhychwant emosiynol pawb arall yn plymio cymaint i'r eithafion? Dwi'n meddwl 'mod i yn y lleiafrif, ond dwi ddim yn falch o hynny. Achos mi faswn i'n rhoi'r haul i gyd, bob pelydryn ohono fo, i allu profi llawenydd sydd heb ei dwtsiad gan dristwch. I allu ymgolli yn yr hyn sy'n iawn ac yn dda, heb orfod meddwl am y pegwn arall.

Mi af i am dro rŵan, mae angen gwynt y môr i smwddio chydig ar y rhychau sydd wedi hel y tu mewn imi heddiw. Dwi'n licio'r môr. Rho imi fôr dros fynydd. Dwi wastad wedi byw o fewn milltir i'r tonnau, ac alla i ddim dychmygu bod ddim pellach. Mae mynd i mewn i'r trefi mawr 'ma yn fy mygu i, ac alla i fyth aros yn rhy hir, mae'n rhaid imi ddod o hyd i fôr i gael cofio sut beth ydy anadlu. Peth rhyfedd ydy tynfa felly. John F. Kennedy ddeudodd mai'r môr wnaeth lunio bob un ohonom ni, a'n bod ni'n cael ein tynnu'n ôl ato fo gerfydd heli ein gwaed, ein chwys a'n dagrau. Mae 'na rywbeth cynhenid y tu mewn i ni yn ein clymu ni i'r môr, a dyna sy'n fy nghadw i o fewn tafliad carreg iddo, siŵr o fod. Faswn i ddim yn dymuno ei chael hi'n ddim gwahanol.

Gwil

Ydw i'n hapus?

Cwestiwn dwi'n ei ofyn i mi fy hun yn ddyddiol. Ond be yn union ydy hapusrwydd? Oes yna ddiffiniad absoliwt yn bod? Efallai fod fy mhrofiad i o hapusrwydd yn wahanol iawn i'r nesaf. A bod yn onest, dwi ddim yn siŵr a ydw i'n anelu at stad barhaol o hapusrwydd. Pwy fasa isio hynny? Mae'r holl emosiynau 'ma'n bod er mwyn inni gael profi pob un ohonyn nhw o bryd i'w gilydd, ydy ddim?

Tydy o ddim i *fod* i bara. Hapusrwydd ydy gwên plentyn, drudwns yn hedfan heibio, llyfu eisin oddi ar gacen. Maen nhw'n bethau hyfryd, ond tasan nhw'n bethau fasa'n para'n hir, mi fasa'n hawdd iddyn nhw golli eu hud. Ein drwg ni fel pobl ydy trio gwneud i hapusrwydd bara'n hirach nag y dyla fo. 'Dan ni'n trio stretsio'r emosiwn cymaint nes ei fod o'n cael ei wisgo'n denau, a dydy hynny'n dda i ddim.

Felly i ateb y cwestiwn, 'Ydw i'n hapus?', mi ddyweda i hyn. Mi o'n i'n hapus bora 'ma pan wnaeth dŵr poeth y gawod daro fy ngwar i. Mi o'n i'n hapus wrth sbio ar y llefrith yn cofleidio brown fy mhaned. Ac mi o'n i'n hapus hefyd pan drodd y goleuadau traffig i wyrdd wrth i mi gyrraedd atyn nhw. Felly do, dwi wedi profi hapusrwydd heddiw, chwinciadau hyfryd ohono.

Arthur

Ges i fy ngeni efo man geni fel staen gwin dan fy llygad chwith. Dwi'n cofio gweddïo bob nos cyn mynd i 'ngwely y basa fo wedi diflannu erbyn bore trannoeth, a deffro'n siomedig bob tro. Mae hi'n werth nodi nad ydw i'n teimlo 'run fath am y man geni bellach, a 'mod i'n eitha licio'r stamp unigryw sydd ar fy wyneb. Ond pan o'n i'n iau, mi roddodd o'r gofid mwya imi, ac mi wnes i ei regi o'n ddyddiol am flynyddoedd.

Mae plant yn gallu bod yn hen ddiawlad bach, dydyn? Ges i fy nhrin fel rhyw fath o afiechyd o'r dbeth, pawb yn cadw hyd braich rhag ofn iddyn nhw 'ddal' rhywbeth. Dwi'n adnabod y teimlad o ista ar ben fy hun mewn dosbarth yn rhy dda o lawer. Ond faswn i byth ar fy mhen fy hun amser cinio, achos dyna pryd fasa Casi yn dod ata i ac mi fasan ni'n byta ochr yn ochr. Roedd hi'n un mor dda am chwarae rôl y chwaer fawr warcheidiol, ac ro'n i'n ffodus iawn ohoni yn y blynyddoedd cynnar hynny.

Be dwi'n drio ei ddeud yma ydy, ro'n i'n gwybod be oedd bod yn wahanol ers pan o'n i'n ddim o beth, felly doedd o'n ddim byd newydd i mi pan 'nes i ddechrau cwestiynu fy rhywioldeb. Dach chi'n cofio imi ddeud 'mod i fel dol

Matryoshka, yn diosg haenau wrth fynd yn hŷn? Wel, mi wnaeth 'na un ffaith aros efo bob dol a oedd yn dod i fod. Ro'n i'n hoyw, ac roedd hynny'n rhan mor annatod ohona i â'r man geni dan fy llygad chwith.

Gwil

Roedd gen i gi pan o'n i'n hogyn bach, ci defaid o'r enw Shep. Mae'n wir nad ydan ni bobl yn haeddu cŵn, achos Shep oedd y peth anwylaf welodd y byd erioed. Mi fasa fo'n dod i'n llofft i bob bora a llyfu bodia 'nhraed i nes 'mod i'n deffro, ac mi fasa fo'n neidio i fyny ac ysgwyd ei gynffon fel ffŵl fel o'n i'n dechra gwingo. Finna wedyn yn ei ddilyn o i lawr i'r gegin, ac mi fasa fo'n ista wrth fy nhraed wrth imi fyta fy mrecwast, yn aros am grawan bacwn.

Mi fydda i'n meddwl am Shep yn aml. Mi fuodd efo fi am bymtheg mlynedd, ac mi oedd o'n ffrind triw hyd y diwedd. Dwi'n meddwl amdano fo rŵan achos mi fasa hi'n deg deud mai Shep oedd fy nyddiadur i yn y blynyddoedd hynny. Fo oedd yn gwrando'n astud arna i yn adrodd manylion fy niwrnod, a fo oedd yn cadw fy nghyfrinachau i gyd dan gêl. Pan fuodd Shep farw, doedd gen i neb i wrando ar fy rigmarôl. Neb i glywed Y Gyfrinach Fawr oedd yn byta mwy arna i bob diwrnod.

Arthur

Fuodd Dad a finna rioed yn fêts, ddim go iawn. Hogyn Mam o'n i, yn licio arbrofi yn y gegin a swcro'r blodau yn yr ardd efo hi. Mae Mam a Casi wedi bod yn ofalus iawn ohona i erioed, achos fi oedd yr un bach anlwcus o'r llwyth. Fi oedd yn gwahodd pawb yn ei ddosbarth i'w barti pen-blwydd, ac yn aros tan wyth o'r gloch nos i rywun, *unrhyw* un ddod i guro ar y drws. Mi ges i amser anodd drybeilig, ond roedd Mam a Casi yno i 'nghodi yn ôl ar fy nhraed bob tro.

Ond stori wahanol oedd hi efo 'nhad. Mae o'n deud iddo fo drio'i orau efo fi, ond na ddaru o rioed lwyddo i wneud dyn ohona i. Tydy dweud hynny rŵan ddim yn brifo fel yr arferai wneud – mae'r briw hwnnw wedi dechrau mendio. Ond roedd 'na adeg lle ro'n i'n fodlon gwyro bob ffordd i blesio Dad. Mi 'nes i ymuno efo'r tîm rygbi a chael fy ngholbio nes 'mod i'n gleisiau byw. Mi es i at Taid i ffermio bob penwythnos am bwl i drio dysgu rhywbeth am ddefaid. Mi 'nes i hyd yn oed fynydda am dridia a derbyn Gwobr Aur Dug Caeredin, ddim ond i gael teimlo 'nhad yn curo 'nghefn i ar y diwedd.

Ond ddaru o ddim. Dwi'n meddwl i Dad wybod o'r cychwyn mai yn y gegin neu'r ardd oedd fy lle i. Mi driodd o'i orau glas i fowldio'i unig fab i fewn i'r hyn roedd o isio ei weld, ond ro'n i wastad yn bownsio'n ôl i'm ffurf arferol, waeth pa mor galed roedd o'n trio. A dyna pryd ddaru'r berthynas ddechrau suro. Dyna pryd ddaru o droi'n dawedog a mynd i'w gilydd i gyd pan o'n i o'i gwmpas o, a'r unig beth oedd ganddo fo i'w ddweud wrtha i oedd, 'Chdi sy 'di gorffan y llefrith eto?'

Gwil

Mae Casi wedi bod yn siarad mwy am briodi a chael plant yn ddiweddar. Mae hi isio gwneud ein cariad ni'n 'swyddogol', medda hi. Dwi wedi trio deud wrthi 'mod i ddim yn credu mewn priodi, 'mod i'n meddwl bod priodi yn rhywbeth er budd yr economi, yn ffordd o iro olwyn cyfalafiaeth. Mae hi'n ateb gan gellwair 'mod i'n mynd yn debycach i Karl Marx bob dydd, cyn troi'r sgwrs at blant.

Ac mae hynny'n fater ar ei ben ei hun wedyn. Y fath gyfrifoldeb, dod â phlentyn i'r byd. Meddwl am bethau felly sy'n fy nghadw i'n effro gyda'r nos, y gwybod y gall cnawd un arall gael ei greu o'n huniad ni. Dwi'n meddwl bod bywyd rhywun yn newid yn llwyr efo'r sylweddoliad hwnnw. Mae o'n gwneud i rywun sylweddoli pa mor fregus a brau ydy bywyd, a pha mor werthfawr ydy o.

Mae hi'n anodd ymateb i'w thurio hi. Mae ganddi'r wyneb 'ma sy'n llawn llewyrch plentyn, ac mae'n ei gwneud hi'n anodd, amhosib weithiau, dweud na wrthi. Ond alla i ddim yn fy myw â dweud wrthi fy mod i isio plant. Sut alla i? Ers ei bod hi'n bymtheg oed, mae ganddi restr yn ei ffôn o enwau babis posib ond alla i ddim cyfrannu, achos mi fasa'n greulon bwydo mwy ar y ffantasi sydd ganddi yn ei phen. Mae'n rhaid imi ddweud wrthi.

Arthur

Dwi'n cofio pan soniodd Casi am yr hogyn newydd oedd ar y sin, a finnau, fel erioed, yn rhoi fy sylw i gyd iddi. Er bod yna ran fach ohona i'n cenfigennu wrth ei bywyd carwriaethol hi, ro'n i'n gwirioni ei chlywed hi'n sôn am hwn. Mae ganddi un o'r wynebau hynny sy'n methu â chuddio dim, ac roedd hi mor amlwg 'mod i yng nghwmni rhywun a oedd wedi dotio'n wirion.

'A 'nes i ddeud wrthat ti am ei wên o, do?' meddai, a'i llygaid hi'n fflachio fel modrwyau drud o fy mlaen.

Dwi'n cofio darllen yn rhywle bod anifeiliaid yn ymddwyn yn od cyn i ddaeargryn daro. Ieir yn stopio dodwy, gwenyn yn gadael eu cychod, cathod a chŵn yn rhedeg am dir uchel. Mae un theori yn dweud, os ydach chi'n darllen yn eich papur newydd bod yna lawer o anifeiliaid anwes ar goll, yna mi all hynny fod yn arwydd bod rhywbeth mawr ar ddod.

Mae'n rhyfedd fel i minnau deimlo bod rhywbeth mawr ar ddod cyn iddo gyrraedd. Roedd fy stumog i allan ohoni, a 'ngheg i'n sych fel cesail camal. Dwi'n gradur digon nerfus, felly doedd hynny'n ddim byd anghyffredin, ond roedd ’na rywbeth arall greddfol, anifeilaidd y tu mewn oedd yn gwingo cymaint nes gwneud imi fod isio gadael y tŷ a rhedeg fel diawl am y mynyddoedd.

Gwil

Roedd bob dim yn mynd yn iawn tan imi ddod ar ei draws o eto. Ro’n i a Casi wedi bod yn canlyn ers chydig fisoedd ac ro’n i wir wedi cymryd ati, felly’r cam naturiol nesaf oedd cyfarfod y teulu.

Dach chi’n gwybod y teimlad ’na pan dach chi ar fin mynd i gysgu a dach chi’n dychmygu’ch hun yn disgyn i lawr grisiau mwya sydyn, nes ma’ch corff chi’n teimlo fel ’sa fo’n cael ei dynnu i lawr gan ryw rym anweledig, a dach chi’n agor eich llygaid, ddim ond i wneud yn siŵr eich bod chi’n dal ar dir y byw? Teimlad felly oedd ei weld o eto, a doedd ’na ddim cilio ar y teimlad.

Wrth reswm, roedd Casi wedi sôn digon am ei brawd cyn y noson honno. Wedi sôn ei fod yn hoyw hefyd. Wnes i ddim gwneud y cysylltiad. *Sut* na wnes i’r cysylltiad? Ac roedd fy nghalon i’n gwaedu dros Casi. Roedd hi’n sefyll yno â’r un hen wên fawr blentynnaidd ar ei hwyneb, ei llygaid hi’n llawn hud a lledrith.

‘Gwil,’ meddai, ‘dyma fy mrawd bach, Arthur.’

Arthur

Dwn i'm o lle ges i'r hyder y noson honno, rhyw chwe mis yn ôl, ond mae digon o ddiod yn gallu fy arfogi efo'r brafado rhyfeddaf. Faswn i fyth yn arfer siarad efo dyn dieithr fela, yng Nghlwb Ifor Bach o bob man, lle roedd pawb yn fy nabod i. Roedd gan bobl eu hamheuon, wrth gwrs, ond doedd 'na neb yn gwybod i sicrwydd 'mod i'n hoyw. Ac ro'n i'n ddigon bodlon iddyn nhw amau, a dim mwy. Do'n i ddim yn barod i ddadlennu fy hun yn llwyr i neb.

Doedd hi ddim yn sgwrs hir. Pe bai hi wedi bod, mi fyddwn i wedi sôn bod gen i chwaer o'r enw Casi, chwaer roedd gen i feddwl y byd ohoni, digwydd bod. Ond wnaethon ni ddim cyrraedd at hynny. Siarad am bethau eraill ddaru ni, pethau a oedd – fel mae'r nofelau rhamant i gyd yn ei ddweud – yn golygu dim ond eto'n golygu *bob* dim. Mi arhosodd yn ddigon hir i mi allu sylwi ei fod o'n gallu gwenu efo'i holl wyneb. Roedd ei lygaid a'r rhychau o boptu iddynt yn gwenu efo'i geg o, a dyna pryd y teimlais i fy hun yn meddalu'n slwj.

Mi fasan ni'n dau wedi gallu aros yno efo'n gilydd drwy'r nos, ond doedd hynny ddim i fod. Doedd o, na finnau, yn barod am hynny. Roedd o'n fwy ansicr fyth. Ond ro'n i'n gwybod, ac roedd yntau'n gwybod 'mod i'n gwybod. Gan nad oes angen geiriau lle mae cariad yn y cwestiwn.

Gwil

Dwi ddim yn cofio be oedd y pryd bwyd ges i'r noson ddaru mi gyfarfod y teulu. Mae gen i ryw gof o gaws, ond dim byd mwy na hynny. Does gen i chwaith ddim syniad be ges i i'w yfed, a dim ond ryw frith gof o'r sgyrsiau sydd gen i. Y cwbl allwn i feddwl amdano oedd y noson honno, gwta chwe mis ynghynt, efo Arthur. Yng Nghlwb Ifor Bach oedden ni, y ddau ohonom yn eistedd wrth y bar.

Dwi ddim yn cofio pwy ddaru ddechrau'r sgwrs, ond dwi'n cofio'r cynnwys yn iawn. Siarad fel pwll y môr am bob dim dan haul. Cofio meddwl bod neb arall wedi fy nallt i fel hwn. Ac er fy ngwaethaf, cofio teimlo cariad yn syth bìn. Teimlad oedd yn tonni drosta i ac yn bygwth fy mygu'n llwyr. Roedd yn rhaid imi ddianc i rywle, *unrhyw* le ond fama efo hwn.

'Reit, mae'n amser imi ei throi hi,' meddwn i, ac estyn am fy nghôt.

Yntau'n gafael yn fy mraich, a'r geiriau a ddilynodd yn fy hollti'n ddau hanner.

'Mi alli di fynd rŵan, ond cofia bod y gwir yn mynd i dy ddilyn di.'

Roedd o'n gwybod.

Arthur

Sut alla i ddisgrifio'r teimlad o'i weld o efo Casi?

Mae'n codi deuoliaeth, achos does yna ddim byd yn bwysicach imi na hapusrwydd Casi, ond ar yr un pryd, mae fy hapusrwydd i yn ei dwylo hi. Hi sy'n cael trafod y papur bore efo fo. Hi sy'n gwybod yn union sut mae o'n cymryd ei de. Hi ydy'r cyntaf i gael edrych dros y gwaith mae o wedi'i sgwennu. Mae'r genfigen yn brathu. Ac mi dwi'n flin efo fo, yn lloerig. Gan mai Casi ydy fy ffrind gora i, a gan 'mod i'n gwybod nad ydy o'n ei charu hi.

Gwil

Mi ofynna i eto:

'Ydw i'n hapus?'

Mi aralleiria i hynna:

'Ydw i'n hapus efo Casi?'

Petawn i'n hapus efo hi, dwi'n ofni na fasa'n rhaid i mi gwestiynu yn y lle cyntaf. Ond mi faswn i'n rhoi bob dim sydd gen i i *fod* yn hapus efo hi, achos Duw a ŵyr, mi dwi isio hynny. Dwi isio gallu dweud mai hi ydy'r person ola ar fy meddwl i cyn cysgu, y cyntaf wrth i mi ddeffro. Dwi isio gallu peidio â theimlo'n chwithig wrth ddal dwylo. Dwi isio gallu caru efo hi heb i'm meddwl i grwydro. Dwisio, dwisio, dwisio…

Arthur

Un cyfarfyddiad, dyna'r cwbl oedd o. Mi alla i ddysgu sut i anghofio, sut i ddileu'r atgof yn araf bach a gadael i amser wella pethau. Ond fasa hynny'n newid dim, na fasa? Achos mi dwi'n dal i gael fy ngorfodi i'w weld o rŵan ac i ddisgyn yn ddyfnach mewn cariad efo fo, er nad ydw i'n trio. Sut alla i ei wneud o'n rhan o 'ngorffennol a fynta mor fyw yn fy mhresennol? Sut alla i gael ei wared o pan mae o'n eistedd dros y ffordd imi wrth y bwrdd bwyd, y drws nesaf imi ar y soffa?

Gwil

Mae hyn yn mynd i frifo.

Dwi'n ei sgwennu o yma gan 'mod i'n ymddiried yn y tudalennau erbyn hyn, yn gwybod na wnawn nhw fyth feirniadu pwy ydw i. Ond *pwy* ydw i? Ydw i hyd yn oed yn gwybod hynny fy hun? Dwi'n meddwl 'mod i, ond bod gen i ofn fy ngwirionedd fy hun. Dwi isio bod yn pwy ydw i, ond dwi wedi treulio'r blynyddoedd yn gobeithio, yn *gweddïo* ar dduw nad ydw i'n credu ynddo am 'fi' gwahanol i'r un sydd wedi aros efo fi ar hyd y blynyddoedd. Rhyw 'fi' arall sydd ddim yn hoyw.

Ac mae o mor, mor unig. Mi dach chi'n byw rhyw gelwydd mawr bob awr o'ch bywyd, yn chwarae rôl ac yn blino arni. Mi dwi'n cyrraedd fy ngwely bob nos wedi ymlâdd gan fod y gyfrinach wedi bod yn ffrwtian tu mewn imi ers ben bore. Mae'n ffordd mor ddigalon o fyw fy mywyd, ond mae'r opsiwn arall yn dychryn gormod arna i. Dwi'n gwybod 'mod i'n rhedeg i ffwrdd oddi wrtha i fy hun, ond dwi ddim yn bwriadu arafu. Mi ddalia i ati i redeg tra medra i.

Casi

Nodyn i mi fy hun ar gyfer y dyfodol – paid byth â busnesu yn nyddiadur dy gariad.

Haul llwynog

'As long as you keep secrets and suppress information,
you are fundamentally at war with yourself.'
— Bessel van der Kolk

Elen

Gaeaf 2000

Cerdded i mewn a'u gweld nhw'n caru. Edrych yn flêr, fel petai eu cyrff nhw'n fyddar i ieithoedd ei gilydd. Ond doedd o ddim i fod i edrych yn daclus achos doedd o ddim i *fod* o gwbl, yn nag oedd? Y cwbl yn digwydd ar f'ochr i o'r gwely hefyd, a hynny'n teimlo fel cnawd yn hollti. Ond er fy ngwaethaf, fedrwn i ddim peidio â sbio. Y sgwyddau praff, cyhyrau ei freichiau'n tynhau a llacio am yn ail a'i groen yn sgleinio. A hithau'n ei ddigoni.

Tynnu'r drws yn araf ar f'ôl a'u gadael yng ngafael ei gilydd. Eu sŵn yn cario drwy'r waliau a'r awyrgylch yn groen gŵydd drosto. Minnau'n brathu fy ngwefl isaf nes tynnu blas dŵr halen. Pam na ddywedais i ddim byd?

Feiddiwn i ddim. *Paid â chodi dy lais, ti'n 'y nghlywed i?* Un dawedog fu Elen fach erioed…

A chwydu wedyn gan fod rhywbeth trymach na godineb yn pwyso ar fy stumog. Rheswm dyfnach na fedrwn i ei rannu. Fy nghyfrinach fudur i.

Einion

Gaeaf 2000

Roedd ganddi sicrwydd tawel yn ei hadnabyddiaeth o'i chorff ei hun. Gwybod beth oedd yn gweithio iddi ac yn gofyn amdano. Minnau'n rhoi, gan fy mod i'n gorfod cofio sut beth *oedd* rhoi, rhag colli fy mhwyll. Esgus gwael, mi wn i hynny.

Y gwir amdani oedd fy mod i'n chwilio am y tynerwch hwnnw a lithrodd o fy ngafael flwyddyn ynghynt. Chwennych y cryndod rhwng dau. Ym mreichiau dynes arall, roeddwn i'n chwilio am Elen.

Elen

Hydref 2000

Y dail wedi blino ar eu gwyrddni eu hunain. Gwaedu'n goch a chlwyfo'n felyn a phydru'n frown. Roedd y sŵn crensian pleserus dan draed wedi ei golli i law didrugaredd neithiwr, gan adael rhyfeddod yr hydref i lynu'n un llanast gwlyb wrth fy sgidiau.

Mae'n syndod fy mod i'n sylwi o gwbl. Gan amlaf, mi fydda i'n gorwedd yn fy ngwely gyda'r nos ac yn methu'n glir â chofio sut dywydd oedd hi'r diwrnod hwnnw. A deimlais i'r haul yn crwydro fy ngwegil, neu a deimlais i'r glaw yn drwm ar gotwm fy nillad wrth gerdded adref o'r gwaith? Fydd gen i ddim ateb pendant i'w gynnig – yr arwydd sicraf o ddigalondid.

Mi fu'n rhaid imi fynd i'r swyddfa bost y bore 'ma. Methu â dal ddim mwy.

'Helô, isio gofyn a fyddai modd newid… newid…'

'Isio *spare change* ti, del?'

'Na, na, ddim newid felly. Isio… isio newid fy mhostmon.'

A hithau'n edrych arna i fel taswn i'n hurt bost. A minnau'n *teimlo* felly. Yn teimlo fel tawn i'n camu'n nes at ddrysau seilam efo pob dim a oedd yn baglu dros fy nhafod. *Cau dy geg yn hogan dda.* Rhedeg allan a theimlo fel petai fy nhu mewn yn cael ei dynnu i lawr at fodiau fy nhraed. Hithau'n syllu drwy'r ffenest, a minnau'n dal y geiriau 'poor thing' yn ffurfio ar ei gweflau.

Ddaw 'na ddim postmon newydd at ddrws ein tŷ ni bore fory. Mi fydd yn rhaid imi ei wynebu eto ac mi fydd yn rhaid imi fod yn iawn efo hynny. Bod yn garedig a diolch. Wna i ddim cyffwrdd ei law wrth gymryd y llythyrau o'i afael, wna i ddim edrych i'w lygaid mêl sydd wrth wraidd y drwg i gyd. Nid y fo ydy o, Elen. Ond *eto*…

Eto, wnaiff hynny ddim newid y ffaith 'mod i'n teimlo fel marw bob tro y gwela i o ar stepen fy nrws. Wnaiff hynny ddim atal y byd rhag gwasgu fel gefail amdana i pan fydda i'n bodio drwy'r llythyrau. Mi fydda i'n dal i fygu nes anghofio sut beth ydy anadlu, ac mi sgwria i fy nwylo nes i'r gwaed ddechrau llifo. I drio teimlo'n lân eto.

Einion

Hydref 2000

Roedd Elen yn fyd ar ei phen ei hun. Elen, mor addfwyn nes gwneud i bob dyn, i bob *un*, ddisgyn mewn cariad efo hi. A sut allwn i beidio? Elen, yn hawlio'r stafell iddi hi ei hun a hynny heb drio, a phawb yn dotio ati.

Y noson gyntaf honno. Roedd hi'n hardd yn ei hyder. Ei llygaid fel rhyddid a'i gwên yn ddechrau newydd. Hithau'n fy ngwahodd i rannu'r cwbl efo hi a finnau'n derbyn ar amrantiad, gan mai Elen oedd hi.

O'i chyffwrdd, teimlais fel petawn i'n dal y greal yn fy nwylo. Rhwng bys a bawd, gafaelais yn fy nghwbl a gwybod y byddai popeth, o'r diwrnod hwnnw hyd byth, yn ddim heb Elen.

*

Doedd Elen ddim gwell heddiw. Wedi troi dŵr berwedig dros ei llaw dde ond yn rhyfedd o ddigynnwrf am y peth. Bron iddi fod yn ddedwyddach ei byd ar ôl y sgaldio.

Yn ein gwely dwbl, mae hi'n gorwedd wrth f'ymyl a finnau'n meddwl: does yna ddim byd yn codi a thorri fy nghalon ar yr un pryd fel Elen. Dydy hi ond hyd braich oddi wrtha i ond mae hi'n bell, a minnau'n cadw fy mhellter gan fod rhaid imi. Mae môr a mwy rhyngom heno.

Dal i'w charu, fel erioed, ond dydy o ddim yn garu hawdd ddim mwy. Mae'n garu sy'n barhaol yn brifo.

Elen

Haf 2000

Mi faswn i wedi gallu saethu'r haul heddiw. Doeddwn i ddim isio ei weld o, ddim isio ei deimlo fo. Roedd o yno i fy herio i, dwi'n siŵr o hynny. Yn afiach o boeth ond yn gwybod o'r gorau na allwn i ddiosg dim. Minnau'n cuddio tu ôl i ragfur fy sbectol haul wrth i'r dagrau besgi, gan ferwi efo emosiynau na fedrwn i eu henwi.

Gefn dydd golau, mi ofynnodd Einion imi newid. Ddim yn gas, dydy Einion fyth yn gas. Wnaeth o ddim gofyn imi wisgo llai er mwyn iddo allu gweld mwy, ond gofyn yn hytrach gan ei bod hi'n Awst. Fy hoff fis, pan mae'r cread yn ei hwyliau gorau. Tywydd i ddangos croen oedd hwn ac roedd Einion wedi fy ngweld i'n croesawu hynny'r hafau cynt.

Ac roeddwn i'n hiraethu amdani. Yr Elen a oedd yn gwisgo dillad i ddangos, ac nid i guddio pwy oedd hi. Yr Elen a oedd yn gwerthfawrogi celfyddyd ei chorff ac nid yn ffieiddio ato. Yr Elen a oedd yn llwglyd am gyffyrddiad a chariad. Ac Einion mor annwyl, mor amyneddgar. Roeddwn i isio ei blesio fo, felly dyma ildio yn y diwedd gan mai Einion oedd yn gofyn.

Yn fy nillad cwta, roeddwn i'n teimlo fel petawn i'n gorwedd yn fy arch fy hun. Ond mi wirionodd Einion, fel petai'n fy ngweld i am y tro cyntaf erioed. Edrychiad nad oeddwn i'n ei haeddu. *Tasa Einion ond yn dod i wybod...*

Y ganmoliaeth oedd waethaf. Pob un yn teimlo fel tor calon. Pam oedd rhaid iddo ddweud dim byd? Mi faswn i wedi medru ei regi o, ond wnes i ddim. *Dim smic, dallta!* A doedd Einion ddim yn haeddu'r un rheg. Doeddwn innau ddim yn haeddu Einion.

Mi ddechreuais grio go iawn wedyn, ac Einion yn cymryd y bai er nad oedd o'n gwybod beth ddywedodd o'i le. Finnau'n crio mwy efo hynny, dros Einion. Y sefyllfa'n cynnig cyfle i mi ddweud y gwir, ond finnau'n methu eto. Doedd fiw i mi. *Wneith o ddim dy goelio di...*

Mae hi'n hen bryd i Awst ddod i ben.

Einion

Haf 2000

Dal i boeni am Elen.

Dwi'n sgwennu yma i drio gwneud synnwyr ohoni ond yn cael fy nhynnu i orffennol pell yn ôl bob tro. Gorffennol lle nad oedd hyn yn bod a phan oedd Elen yn Elen.

Mi aethon ni'n dau am dro i Abergwyngregyn yn fuan ar ôl cyfarfod. Elen isio gweld a oedd y lle mor dlws â'i enw. Mae yna luniau ohonom ni'n dau yno ar y cerrig camu ac mi alla i glywed ei chwerthiniad hi ddim ond o edrych arnyn nhw. Y chwerthiniad bendigedig hwnnw, yn dyner fel cawod haul. Chwerthiniad sydd ddim ond yn bodoli mewn print bellach.

Ac mae hi'n fy nghofleidio. Mae ei breichiau'n plethu am fy nghanol a'i dwylo'n cyfarfod ar bwynt. Dwi'n cofio'r goflaid honno, cofio teimlo'r gwres yn gwlwm amdana i. Ac er sŵn y dŵr, dwi'n cofio'r byd yn syndod o dawel, fel petai pob dim wedi arafu am ennyd i edrych ar ddau gariad yn gwenu. Dyna lawenydd yn ei ffurf symlaf un. Fi, Elen, ac Abergwyngregyn.

*

Ers rhyw fis, mae ganddi arferiad gwael o dynnu ar flew ei haeliau nes eu bod nhw'n batsys moel i gyd. Mae hi'n llenwi'r bylchau efo pensil golau i drio cuddio ei chywilydd cyn i mi sylwi. Ond dwi'n adnabod wyneb Elen cystal â'r lôn sy'n arwain adref, ac mae hithau'n gwybod hynny hefyd. Mi soniais am fynd i weld y doctor eto heno, ond fel o'r blaen, mi wrthododd yr awgrym ar ei ben.

'Os ddim fi, mae'n rhaid iti siarad efo rhywun, Elen fach.'

'Rho'r gorau i 'ngalw i'n Elen fach!'

Elen fach ers erioed, ond rŵan roeddwn i'n colli'r hawl i'r enw. Ac am y tro cyntaf ni allwn yn fy myw â darllen ei llygaid i ddeall pam. Roedd ceisio cyrraedd eu pellafion mor amhosib â cheisio dal dŵr yn fy nwrn.

'Dwyt ti ddim yn *iawn*, nag wyt?'

'Does 'na ddim i'w ddweud, Einion.'

Roedd craciau ei llais fel gwydr yn malu, yn bradychu'r ffasâd a fu'n gymaint o ffrind iddi. Roeddwn i fod â fy mreichiau amdani, doedd bosib? Ond roedd popeth amdani wedi ei hogi erbyn hynny nes imi wybod y byddai ei chau mewn coflaid fel ceisio dal cwningen wyllt.

'Dwyt ti ddim yr un un...'

'Falla mai dyma pwy ydw i go iawn.'

Mi gollais fy nhymer pan ddywedodd hi hynny. Gweiddi arni i stopio, i *gallio*. Mi afaelais yn ei harddyrnau a'i hysgwyd fel dyn gwyllt. Yr ofn wnaeth imi bwyllo. Mae'r dychryn a welais yn ei llygaid yr adeg honno'n dal i ddwyn fy nghwsg.

'Gollwng dy afael, Einion.'

A'r dagrau'n llifo'n ddigymell i lawr ei gruddiau gan adael llwybrau duon, hyll o'u holau. Mi arhosodd fel yna am amser hir – ar ei thraed, yn llonydd fel angau gan syllu ar ddim o werth. Ac er bod yna ddim pall ar y dagrau, teimlais nad fy lle i oedd eu sychu. Roeddwn yn gwybod gyda sicrwydd na fyddai wedi croesawu fy nghysur. Doedd gen i ddim syniad beth i'w wneud efo fy nghorff fy hun. Doedd o ddim i fod yno efo hi ond doedd o ddim i fod yn nunlle arall chwaith. Felly mi eisteddais â 'mhen yn fy nwylo gan edrych ar fy myd yn datgymalu'n raddol bach o fy mlaen.

Wnes i ddim mentro estyn amdani yn y gwely heno.

Elen

Gwanwyn 2000

Mi lyncodd Einion y cwbl heb gwestiynu un dim.

'Pam dy fod di wedi cael gwared â'r *disinfectants* yn y tŷ bach?'

'O…'

'O?'

'Wel…'

Tyrd Elen, mi fydd Einion yn amau…

'Meddwl baswn i'n gwneud ymdrech i gael gwared â chemegion 'leni. Chydig o Apple Cider Vinegar a dŵr yn llawn cystal am ladd *germs*.'

Roeddwn yn barod i godi fy fflag wen a gollwng fy arfau i gyd gan fod Einion yn siŵr o fod wedi dyfalu'r gwir rhwng yr oedi a'r brawddegu herciog. Ond wnaeth o ddim, siŵr iawn na wnaeth o. Mi ddewisais fy nghelwydd a'i droi'n wirionedd, a doedd Einion yn ddim callach. Mi ddylwn i fod wedi teimlo rhyddhad, ond wnes i ddim. Mae celwydd a rhyddhad yn gwrthod priodi.

*

Mi fydda i'n deffro am bump y bore yn chwys domen â llaw ddu'r nos fel sarff am fy ngwddw. Mi fydda i'n ildio i'r dagrau weithiau wrth deimlo fy meddwl yn graddol ddychwelyd at ei hen driciau. Mi wna i ymrafael efo'r atgof am ychydig cyn sylweddoli fod hynny'n rhoi mwy o nerth iddo. Yn y diwedd, felly, mi gaiff lwyfan i ailchwarae ac mi fydd yn rhaid i minnau ufuddhau ac ail-fyw'r cwbl.

Mi godaf ac mi af am gawod. Mi sgwriaf nes bod y sebon yn dân ar fy nghroen a gwylltio wrth sylweddoli bod hynny'n dda i ddim gan mai'r tu mewn sydd angen sgwriad, fanno mae'r drwg yn pydru a phryfedu, ond alla i ddim cyrraedd ato. Mi eisteddaf wedyn yn noeth ac yn socian gan aros i'm corff sychu ohono'i hun. Mi ddychwelaf i'r stafell wely a newid er mwyn tawelu'r gwrid sy'n bigiadau blin dros fy wyneb, cyn teimlo 'nghalon yn ysgafnu o allu cuddio drachefn dan yr haenau cotwm.

Mi fydd Einion yn dechrau gwingo. Mi godith ar ei eistedd a bydd ei lygaid ben bore'n farciau cwestiwn i gyd. Unwaith eto, mi ddyweda i fy mod i'n deffro'n gynnar er mwyn teimlo fel petai'r byd yn eiddo i mi am ychydig. Celwydd arall yn cael ei lyncu fel cegaid o lefrith cynnes, ac mae'n troi ar ei ochr a dychwelyd at gwsg.

Mi wna i lanhau'r gegin drosodd a throsodd nes teimlo gafael y nos yn llacio, a gorfoleddu o weld yr haul ifanc yn agen dros fwrdd y gegin. Mi wlychaf fy hun yn ei olau a theimlo'r bregusrwydd yn cael ei olchi ymaith. Plygain arall wedi cyrraedd, a'r nos heb gael y gorau ohona i. Ddim eto.

Einion

Gwanwyn 2000

Mel a Ceri wedi cynnig inni fynd yno am swper ond mi fu'n rhaid imi wrthod eto. Dyma'r trydydd tro eleni a hithau ond yn fis Ebrill. Maen nhw'n glên iawn wrth imi wrthod, ond mae'n beth cas. Mae 'na hiraeth am *cacio e pepe* Ceri ac am ffraethineb dihafal Mel.

Ond roedd Elen wedi blino, ac alla i ddim dadlau efo hynny. Roedd hi *wedi* blino. Mi ddaeth adref o'r gwaith a chysgu tan iddi ddeffro i arogl ei swper yn stiwian ar y pentan. Sylwais iddi chwarae mwy efo'i bwyd cyn ei fwyta, ond mi ddiolchodd fel pob tro. *Neis iawn, diolch yn fawr*, felly mae hi'n ei ddweud ers ei bod yn hogan fach, a gofyn am gael gadael y bwrdd hefyd. Y pethau bychain sy'n gwneud Elen yn Elen.

Ond eto, roedd yna rywbeth amdani heno oedd ddim fel Elen o gwbl. Roedd hi'n od o dawedog gynnau, a wnaeth hi ddim cynnig paned imi wrth dywallt un iddi hi ei hun. Ond o edrych arni rŵan, ei phen yn ei llyfr ac ambell gyrlen strae yn fframio'i hwyneb, yr un Elen ydy hi, felly thâl hi ddim i mi boeni.

Elen

Dydd Calan, 2000

Cer â fi'n ôl i ddiwrnod San Steffan, pan oedd y Dolig wedi bod, a bwrlwm mileniwm newydd yn llifo yn y gwaed. Pan syllais i fyw llygaid y dyfodol a theimlo'n gyffyrddus o weld anwybod yn edrych yn ôl arna i. Pan oeddwn i'n barod am yr her gan mai merch yr eiliad oeddwn i – Elen yr *happy-go-lucky*.

Pa werth ddaw o godi o fy ngwely heddiw? Mi arhosa i yma, Einion. Cer i ben Moel Hebog ar dy ben dy hun.

Tynna luniau ar dy ffordd i fyny a chana'n iach i'r flwyddyn a fu wrth iddi godi ar y gwynt, a mynd. Wnei di ddim gweld ei cholli, mae un arall yn aros amdanat a honno'n llawn gobeithion newydd sbon danlli.

Dim ond ti fydd yno, mi fydd pawb arall wedi mynd tua'r môr. Ond eto eleni, cei dy dynnu gerfydd dy galon at ein lle ni. Mi deimli dy hun yn un â'r llonyddwch, a bydd y distawrwydd yn ddilledyn amdanat. Cei orffwys yno, a gwneud y mwyaf o'r Canol Llonydd Distaw cyn iti ei golli eto.

Wrth gerdded i lawr, mi deimli dy hun yn ysgafnach wrth iti fwynhau'r gollyngdod braf hwnnw a ddaw o adael rhywbeth o fwriad. Mi fydd gwawr newydd yn danllwyth o dy flaen yn estyn croeso i dro'r mileniwm, ac i ti. Mi deimli di'r duwdod prin hwnnw a wnaiff iti hiraethu am rywbeth na fedr dyn ei fesur; dyheu am rywbeth mwy na ti dy hun. Ac o gyrraedd y car, rhoi dy droed i lawr fymryn ar y ffordd yn ôl gan na fyddi di isio i'r duwdod bylu. Isio cyrraedd adref i'w rannu efo fi.

Mi fydda i wedi codi erbyn hynny. Mater o raid. Mi af i'r gawod a throi'r gwres yn uwch nes i'r dŵr daro'n wynias ar fy nghefn. Mi fydd sefyll yn brifo, felly mi eisteddaf yno, ond fydd hynny'n ddim gwell. Mi welaf y gwaed yn llifo'n fudur frown a bydd y gwayw rhwng fy nghoesau yn cofio neithiwr yn iawn. A bydd y cofio'n gwneud imi fod isio gadael fy nghorff yno i losgi neu i foddi dan y dŵr, fyddai dim ots gen i pa un, cyn belled â'i fod yn darfod.

Ond paid â phoeni, mi wisga i fy nghotwm gorau a thynnu fy ngwallt yn ôl ar yr ochrau. Mi ddaw cnoc ar y drws a byddi yno'n sefyll, yn methu â dallt pam imi gloi. Minnau'n osgoi'r cwestiwn drwy holi am Foel Hebog, a thithau'n cellwair ei bod hi'n dal yno. Byddi'n siŵr o chwerthin ar dy jôc dy hun cyn dweud yn sydyn mai hon fydd hi, hon fydd y flwyddyn i ni. Minnau'n cuddio tu ôl i fy ngweniaith gan na fydd gen i'r galon i ddweud wrthyt y byddai'n well gen i farw.

Einion

Dydd Calan, 2000

Ein lle ni ydy Moel Hebog. Mae'r lle wedi clywed trefniadau ein priodas ac enwau'r plant sydd heb ein cyrraedd eto. Priodi ar Ddydd Sant Mihangel, a neb ond ni a'r gweinidog yno. Treulio'r prynhawn wedyn yn picnica ar ben y foel, ac aros yno i deimlo'r dydd yn dyddio o'n cwmpas. Mi arhoswn i groesawu ein machlud cyntaf fel dau briod, a bydd hwnnw'n bochio'n binc dros bob dim.

Sut deimlad fydd hynny? Fel dychwelyd, felly dwi'n ei ddychmygu. Fel petai popeth i ni ei golli erioed, ers awr ein geni hyd y dydd hwnnw, wedi dod yn ôl. Oherwydd wrth edrych ar y greadigaeth ddrud o'n blaenau, byddem yn gwasgu mwy ar ddwylo ein gilydd gan wybod fod popeth gennym.

Mi fyddi'n gwneud i mi addo y byddem yn dod â'n plant yma ar bnawniau Sul, ac mi fydda innau'n tynnu arnat a dweud fod priodi'n ddigon am y tro. Ychydig o gecru wedyn ynghylch pa fam gaiff glywed gyntaf na chafodd hi wahoddiad i'r briodas, cyn penderfynu gadael i drannoeth ddelio â hynny gan mai ni'n dau yn unig fydd piau dydd ein priodi.

*

Mae hi'n ddydd Calan, Elen, ond rwyt ti'n troi dy gefn ar Foel Hebog eleni. Rwyt ti'n dweud bod yn rhaid iti swatio, bod yn rhaid iti dalu am neithiwr. Wnest ti ddim yfed diferyn, ond thâl hi ddim i mi ddadlau. Mi wna i dy adael yn y gwely, yn ddim callach y dylai heddiw fod yn ddiwrnod pwysig i ti, i ni. Ond Elen, rwyt ti'n bwysicach, felly swatia di.

Elen

Nos Galan, 1999

Doeddwn i ddim isio mynd yn y lle cyntaf, ond mi fynnodd Einion y byddai eleni'n well. Mae bod mewn lle llawn pobl yn fy mlino ar y gorau, ond mae Nos Galan yn fy llethu'n llwyr. Fi oedd yn dreifio, ac felly roedd gorfod gwrando ar sgyrsiau disylwedd ac wynebu'r cwestiwn, 'ti rioed yn disgwyl?!' ganwaith a mwy yn codi hiraeth arna i am de camomil, arogl lafant a llyfr da.

Bachu ar bob cyfle i fynd i'r tŷ bach, ddim ond i gael munud i mi fy hun. 'O, sori, mae 'na rywun yma,' medda fi, ond mi wthiodd ei hun i mewn a gadael i 'ngwrthwynebiad droi'n oer yn yr aer rhyngom. Mae'n rhyfedd fel imi wybod yn syth beth oedd am ddilyn, a sut i mi fethu'n glir â chwffio'r peth. Chwilio am nerth i weiddi a chanfod dim. Chwilio am draed i ddianc a'r rheiny'n byllau dŵr oddi tanaf. Y cwbl allwn i ei wneud oedd igian crio wrth i'w fysedd grwydro. Yntau'n poeri rhybuddion a thynnu'n galed ar fy ngwallt, cyn meddalu wedyn a 'ngalw i'n Elen fach. Hynny'n waeth o dipyn. Ddim ond Einion oedd yn fy ngalw i'n hynny, ddim ond Einion oedd yn *cael*. Ond allwn i wneud un dim, dim ond goddef tynerwch gwneud ei lais yn cripian drosta i fel cawod o bryfaid cop.

Llyncu'n galed ar fy nghyfog wrth iddo ei orfodi ei hun i mewn imi. Minnau'n fy ngorfodi fy hun i ganolbwyntio ar arogl y *disinfectants*, i gyfri pob teil ar y nenfwd ac i feddwl am bethau braf, ond y cwbl yn mynd â fi yn ôl at Einion. Meddwl sut y bu i'r ddau hollti cnawd yn llanciau deuddeg oed a rhannu gwaed. Sut y bu i'r ddau addo, cris-croes-tân-poeth, na ddeuai merch i dorri'r frawdoliaeth. A dyna lle'r oeddwn i oddi tano a phwysau ei gorff cyn drymed â f'euogrwydd, yn gwasgu'r gweddillion olaf o urddas ohonof a 'ngadael yn wag.

Y diwedd yn dod. Y boen fel briw agored a minnau'n llonydd. 'Tyrd Elen, mi fydd Einion yn amau…' Cynigiodd ei law imi, ond allwn i ddim yn fy myw â chodi. Fy nghyfrinach fudur yn fy nal i'n ôl. Gwybod hefyd y byddai cyffwrdd ei gnawd o wirfodd fel estyn am law y diafol ei hun. Ac roeddwn i'n ffieiddio at y cynnig.

Mi gollodd ei limpin, fel yr oeddwn i wedi tybio y byddai'n ei wneud. Cydiodd yn fy ngarddyrnau'n ffyrnig a 'ngorfodi ar fy nhraed. Edrychais o fy nghwmpas a chasáu'r hyn a welais i. Roedd popeth am yr ystafell yn sicli o daclus, yn afiach o wyn a glân. A'r ffasiwn ysfa gen i i rwygo'r tywelion *100% cotton* yn rhubanau rywsut rywsut, i dywallt cynnwys y potiau blodau i'r bath ac i rwbio'r pridd yn sbrencs blêr dros ddiweirdeb y lle.

Chafodd fy meddwl ddim rhyddid i grwydro ymhellach gan i'r geiriau 'Elen fach' ddechrau canu fel cnul yn fy nghlyw drachefn, a theimlais y bysedd a fu ynof yn cribo drwy gudynnau fy ngwallt. Minnau'n codi tipyn mur rhyngof a'r cwbl drwy greu ffantasi yn fy mhen am flingo fy nwylo, fy mreichiau, fy mronnau, fy mol, fy nghoesau, y cwbl lot! A llwyo'r boen allan o'r cyfansoddiad nes fod yna ddim ohono ar ôl. Hwnnw'n boeth ac yn biwis, yn ffrwtian yn ei warth ei hun. Ond y ffantasi'n cael ei thorri'n fyr wrth imi agor fy llygaid a'i gael yn dal yno o fy mlaen, yn llygaid i gyd. A'u cynhesrwydd lliw mêl yn dwyllodrus fel haul llwynog. Llygaid Mel.

Einion

Nos Galan, 1999

Mae Nos Galan yn noson ddigon od. Mae rhywun yn mwynhau'r edrych ymlaen ati yn fwy na'r noson ei hun. Nos Galan ydy gweld seren wib, ond o graffu'n agosach, sylweddoli mai dim ond awyren ydy hi wedi'r cwbl.

Ac felly'n union yr oedd hi heno hefyd. Llond lle o bobl nad oeddwn i'n eu gweld o un pen blwyddyn i'r llall, a minnau'n trio gwasgu rhywbeth amgenach nag 'anodd coelio fod yna flwyddyn arall wedi mynd heibio!' ohona i. Wynebau cyfarwydd Mel a Ceri'n helpu, a'r ddiod. Honno'n llacio clymau fy nhafod ac yn dyfrio'r brafado, ond eto, byddai'n well gen i fod adref yn nhraed fy sanau yn gwylio Coldplay yn chwarae'n fyw yn rhywle pell. Ac Elen wrth f'ymyl yn ei llyfr, yn marcio calon fach ger dyfyniad sydd wedi gafael ynddi a minnau'n gwirioni o'r newydd efo hi.

Rhywbeth felly oedd heno i fod, noson i ni ein dau yn unig. Ond fel pob Nos Galan cyn heno, mi wnes i gamgymryd yr awyren yn seren wib a disgyn i'r fagl eto. Mi wna i'n iawn am hynny, Elen, mi wna i'n siŵr o hynny. Mi dwi wedi dysgu fy ngeiriau i gyd ac mae'r fodrwy gen i, yn addewid y bydd yfory'n well.

Mam-gu

'The slivers we show, the mountains we hide.'
— Chanel Miller

O'n i'n dwli ar Mam-gu. O'dd 'da hi shwt be-chi'n-galw ambytu hi. Gair posh 'nes i ddysgu pwy ddiwrnod. O! Chi'n gwbod! Rwbeth i neud 'da bod yn rili mysterious a rhywffordd neud i bob dyn ddisgyn mewn cariad 'da chi. Al rhwbeth? Allure? Ie, 'na fe; allure. Good word that, teimlo fel 'se fe'n toddi'n ceg fi wrth ei weud e.

Anyway, Mam-gu o'dd yr epitome o allure. Gair mowr arall, smo fi'n siŵr sut i ffito fe mewn i frawddeg rili, but that sounds about right. So, o'dd Mam-gu yn rial stunner right, proper dolled-up bob amser. Blowsys silky, sgertie hir a lliwie rustic i bopeth. 'You're like autumn walking on two legs!' o'dd Mam yn arfer ei weud, a do'dd hi ddim yn rong fynna. O'dd 'na'n neud i fi fod moyn cwtsho Mam-gu, achos o'dd hi'n atgoffa fi o season yr hot choc a gorwedd o fla'n tân a fuzzy socks.

O'dd hi wystod yn dod mewn trwy ddrws y bac, byth yn

cnoco chwaith. O'n ni'n gwbod bod hi 'na achos o'dd 'da hi sŵn y jiawl wrth ddodi'r siopa ar ford y gegin. Nawr, o'dd Mam yn weak as hell pan o'dd hi'n dod at dreial gwrthod takeaways, felly o'dd Mam-gu yn dod â truckload o veg a ffrwythe a iogyrts a stwff fyl'a i neud yn siŵr bo fi ac Alfie Bach yn ca'l y nutrients i gyd. Peidiwch meddwl bod Mam fi'n fam wael, na'th hi jyst troi'n comfort eater am few years ar ôl i Dad adel, ond ma hi back on track nawr. A 'co fi'n mynd off track! Ble o'n i? Ie, sŵn y jiawl. Wedyn bydde hi'n codi llais hi tym bach a gweud, 'O's 'na bobol?' a bydde Mam yn ateb a gweud rhwbeth fel, 'Dodwch y tegell mla'n a gwneud dished ddeche i fi a Soph a falle gelech chi groeso wedyn!' A Mam yn wherthin yn gynnes, yn meddwl bod hi'n rial comedian wrth i Mam-gu ddanto dan ei gwynt yn y gegin.

Bydde Mam-gu yn canu 'Que Sera, Sera' wrth aros i'r tegell ferwi, ac o'dd Mam a fi'n teimlo'n privileged iawn pryd 'ny. Ond wedyn bydde hi'n sylweddoli bod hi'n canu a bydde hi'n stopo'n sydyn reit, a bydde pob man yn dawel fel 'se rywun newydd weud rwbeth rili deep a meaningful. O'dd 'da hi lais amazing, ch'weld, ond nele hi fyth ganu o fla'n neb. Fi'n cofio meddwl bod 'na'n beth od, achos o'dd 'da hi shwt gyment o gyts 'da popeth o'dd hi'n neud, ond na, dim canu. Ar ôl holi beth o'dd y rheswm dros hyn, wedodd Mam pam yn y diwedd achos o'n i'n ypseto Mam-gu 'da'r cwestiyne.

Wedodd hi fod Dad-cu yn arfer gwylltu'n gacwn 'da Mam-gu am ganu o fla'n bechgyn mewn tafarndai a chlybie lawr yn y Diff slawer dydd. Gweud wrthi bod menyw yn bertach pan ma hi'n dawel. What a load of shite weden i, ond jealous o'dd Dad-cu gan o'dd e'n gwbod yn net bod pawb â crush arni. What a woman, ond na'th jealousy Dad-cu ga'l y gore ohono fe'n y diwedd a wedodd e bod rhaid i Mam-gu wisgo'n fwy sedate, torri gwallt hi'n fyr a stopo canu os o'dd hi moyn cadw fe. That was it for Mam-gu, a dangosodd hi iddo fe le o'dd y drws. And after plenty of screaming and shouting on his behalf, na'th e adel. O'n ni'n meddwl bod e mas o'n bywyde ni am byth wedi 'ny. Hen fwli brwnt o'dd Dad-cu erio'd.

Tair o'd o'n i pan adawodd e, ond fi'n cofio holi Mam am yr adeg 'ny flynyddoedd wedyn, a wedodd hi, 'It was like Mam-gu came back to life.' Na'th 'na rili aros 'da fi. Ond os da'th Mam-gu 'nôl yn fyw, dda'th y canu ddim. Anyway, ar ôl gwneud dished bydde hi'n joino ni'n tri yn y lounge. And I kid you not, bydde'r stafell yn goleuo lan 'da hi. Fi'n gwbod fi'n swno bach over the top, ond 'sech chi'n nabod Mam-gu, byddech chi'n deall. O'ch chi'n gyllu gweud o'dd hi jyst methu aros i roi'r tray i lawr ar y ford fach er mwyn ca'l cwtsho ni i gyd. 'Pwy sy moyn maldod?' bydde hi'n gweud, a bydde'i breichie hi rownd un o ni cyn i neb ga'l cyfle i ateb.

Nothing compared to Mam-gu's cwtshys, I can tell you

that now. Chi'n gwbod y teimlad rili braf 'na chi'n ga'l wrth ollwng corff chi yn y bath yn slow bach? 'Na'r next best thing i gwtshys Mam-gu, a smo fe'n dod yn agos rili. O'n i wystod yn teimlo'n saff 'da cwtsh, fel 'se worries fi i gyd yn mynd jyst fyl'a. Wystod yn gwynto mor ffein 'fyd, Mam-gu. A'th hi ar gyrsie aromatherapy few years back ac wedi 'ny, dechreuodd hi micso stwff lan mewn poteli a hey presto, o'dd 'da hi perfumes o'dd basically'n homemade. O'dd hi'n neud rhai o'dd slightly'n wahanol i fynd 'da pob season 'fyd. Y gaeaf o'dd y gore, achos o'dd e'n rili wintery, 'da gwynt y sweet orange yn siarp ynddo fe. Fi'n gweld isie'r gwynt 'na, a fi wystod yn neud yn siŵr fod Mam yn prynu tangerines adeg Dolig nawr. Smo fe cweit fel y rial thing though.

Mam-gu was never one for small talk. 'Sech chi byth yn clywed hi'n siarad am y tywydd, ac os bydde Mam yn dechre clebran ambytu pethe fyl'a – fel ma hi'n neud lot – bydde Mam-gu yn rhoi one-word answer iddi cyn dechre siarad am rwbeth arall mwy interesting. Dim bod yn cheeky o'dd hi, o'dd hi jyst ddim yn entertaino sgyrsie boring. Bydde Mam yn rowlio llyged hi a gweud, 'And she's off on one again,' ond bydde fi'n gwrando ar beth o'dd 'da Mam-gu i'w weud bob amser. O'dd hi mor wise a jyst yn cofio popeth. Cof eliffant, medde Mam, er smo fi'n siŵr beth ma 'na fod i feddwl. Anyway, bydde 'da hi lwyth o facts am bethe ac o'n i'n treial neud mental note o pob un i ga'l bod mor wise â hi. O'dd hi'n caru'r Discovery Channel ac o'dd 'da hi soft spot am David Attenborough – o'dd e mor obvious! Bydden ni'n weindo hi lan ambytu 'ny pan fydde hi'n gweud fact am anifail neu aderyn, a bydde Mam yn gweud, 'O ie, Dave wedodd 'na wrtho ti?' Fairs i Mam, o'dd 'na wystod yn rhoi rial laugh i ni i gyd.

Ac yna bob yn ail weekend, o'dd fi ac Alfie Bach yn ca'l mynd draw i aros at Mam-gu. She was not your typical Mam-gu, achos o'dd hi'n ware tennis 'da ni mas y bac a pethe fyl'a, full kit and everything. O'dd hi'n dda 'fyd. 'Na pam fi mor sporty nawr, I suppose – I learned from the best. Ar ôl 'ny, bydden ni'n nôl games o'r cwpwrdd cadw popeth ac yn ware trwy'r prynhawn. 'Na beth o'dd sbort! Ond fi neu Alfie Bach o'dd wystod yn ennill, er do'dd 'da Alfie ddim y slightest clue beth o'dd e'n neud, druan – he was only four years old! Ond pan fydde Mam-gu yn wincio arno fi o'n i'n gwbod mai 'na o'dd cue fi i adel i Alfie ennill. O'dd hi'n rili fair a meddylgar fyl'a. Bet you didn't think I knew that word! Good word that, meddylgar; rowlio rownd yn ceg fi.

O'dd amser cinio a swper wystod yn exciting, achos bydden ni'n ca'l bwydydd rili out-there. Fi'n gwbod beth chi'n meddwl: How much cooler can this woman get? Ond 'na beth fi'n treial gweud wrthoch chi, she was quite something. Bydde hi byth yn byta'r un peth â ni achos bod hi ar deiet Mediterranean, ond nele hi fyth starfo fi ac Alfie Bach o carbs. Hoff bryd fi o'dd speciality Mam-gu, sef linguine 'da king prawns (gorfod bod yn king bob amser), garlic a chilli peppers, a bowlen fach 'da parmesan os o'n ni ffansi. O'dd e'n insane! Melted in your mouth. Bydden ni wedyn yn ca'l crème brûlée i bwdin os o'n ni wedi bod yn blant da ac wedi byta ffrwythe ni i gyd yn ystod y prynhawn. O'dd sŵn y crac wrth fi daro'r pwdin 'da cefen llwy bron yn fwy satisfying na'r blas. Bron.

Fi'n ca'l butterflies yn bola fi nawr jyst yn meddwl am y nosweithie yn tŷ Mam-gu. O'dd Alfie Bach yn ca'l ei roi yn y gwely marce half seven, ac o'n i'n teimlo fel princess yn ca'l aros lan tan half ten i wylio ffilm 'da Mam-gu. O'dd 'na'n rial treat. O'dd 'da hi ffordd sbesial o neud fi deimlo fel yr unig berson yn y byd pryd 'ny. Bydden ni'n dodi'r popcorn mewn sosban a bydde'r ddwy o ni'n sefyll 'nôl ac yn gwylio nhw'n tasgu dros ei gilydd. Wedi 'ny, bydde hi'n dodi tamed o coconut sugar dros y cwbl ac yn arllwys glass o'r 'diod hud a lledrith' i'r ddwy o ni. Kombucha o'dd enw iawn e, ac o'dd Mam-gu yn gweud bod e'n dda i gyts chi a stwff fyl'a. Couldn't get enough of it, me.

'Dere i ddewis ffilm 'de, bach,' bydde hi'n gweud wedyn, a bydden ni'n mynd i ga'l look yn y cwpwrdd cadw popeth. O'dd Mam-gu'n film enthusiast, felly o'dd digon o ddewis 'da ni. Hoff ffilm fi o'dd ffilm French o'r enw *Amélie*, achos o'dd lot o details bach neis ynddi ac o'n i'n chuffed fod Amélie a soulmate hi'n cwrdd cyn i'r ffilm gwpla. Don't get me wrong, dim ond 'bonjour' a 'je m'appelle' fi'n gwbod mewn French, ond 'na le ma subtitles yn dod mewn yn handi, ch'weld.

Ta beth, o'n i wystod yn rili dda am aros ar ddihun tan diwedd pob ffilm, jyst i brofi i'n hunan bod fi'n ferch fowr and all that, ond bob tro bydde THE END a'r credits yn dod lan, bydde fi'n cau llyged fi'n rial dynn. Cysgu cadno chi'n galw fe, pan chi'n esgus cysgu fyl'a. O'dd gwneud 'ny yn must pob tro achos bydde Mam-gu wedyn yn cario fi lan stâr i'r gwely, a bydde popeth yn teimlo'n gynnes ac yn soft. Do'dd dim angen i fi brofi bod fi'n ferch fowr pryd 'ny gan taw merch fach Mam-gu fydde fi am byth go iawn.

*

Na'th Mam-gu ddim dod draw un diwrnod â golwg fel diwedd y byd arni – dim fyl'a ddigwyddodd pethe. Do'dd byth arwyddion ar y tu fas, a bydde Mam a fi wystod yn rhoi tymer ddrwg hi lawr i noson wael o gwsg. Rili od that, sut ma rhywun yn neud lies bach lan i gysuro ei gilydd. Ond ie, yr arwyddion ar y dechre o'dd bod hi'n zoned-out o'n sgyrsie ni, ac yn snappy os bydden ni'n pwyntio'r peth mas. O'dd galw draw yn effort iddi erbyn 'ny pan o'dd e'n arfer bod yn delight. Fi'n credu bod Mam yn gwbod o'r dechre bod 'na'n arwydd o rwbeth lot gwa'th nag insomnia a sharp tongue.

Wedyn un diwrnod, na'th pethe ddigwydd yn rial glou. Na'th hi fynd yn mute am sbel a neb yn gwbod beth i weud, ond pawb yn gwbod bod ni ffili holi beth o'dd yn bod point-blank. Dim sgwrs, jyst syllu i'r un lle am ages, one-word answers os o'ch chi'n lwcus. A wedyn, achos bod pawb mor uncomfortable, a'r sgwrs yn all dried-up, na'th hi snapo mas o fe a treial achub y sefyllfa ei hunan, bless her, ond llwyddo i neud pethe lot gwa'th 'da 'ny. Dechreuodd hi siarad am y tywydd, ch'weld. Nawr, o'n i'n meddwl bydde fi'n clywed David Attenborough yn rhegi cyn clywed Mam-gu yn rhoi forecast update i ni. Heb lawer o drimings, wedodd hi something along the lines of, 'Addo hi'n rough dros y dyddie nesaf, lot o wynt', a 'na ni. Dim byd interesting i ddilyn, very out of character. Ond o'ch chi'n gyllu gweud 'da llyged hi bod hi'r un mor shocked â ni o glywed hyn, er na'th hi dreial cuddio'r sioc yn glou. Wedyn dath y siom. Y siom bod hi wedi gweud rhwbeth jyst er mwyn gweud e.

Wedi 'ny, 'drychodd hi ar watsh hi ac a'th hi i panic mode a gweud bod rhaid iddi nôl bits and bobs cyn i Siop Siani gau, a bod rhaid iddi ga'l llaeth, *rhaid rhaid rhaid*. Mam a finne methu deall 'ny at all, achos o'dd Mam-gu yn lactose intolerant ers fi allu cofio a do'dd dim cath 'da hi chwaith. 'Pam llaeth?' medde Mam, yn amlwg wedi ca'l shiglad erbyn 'ny. Ond o'dd Mam-gu wedi hen adel trwy ddrws y bac, yn rhedeg am y siop fel 'se'i bywyd hi'n dependo ar 'ny.

'Ma hi'n dal yn glad rags hi ac yn edrych fel million dollars, felly sdim angen poeni gormod,' medde Mam wrtho fi, er o'n i heb weud dim. Gweud e er mwyn ei hunan o'dd hi, I suppose.

*

Y phone call na'th neud e yn y diwedd. Rhoi tinkle un nos Wener na'th hi a gweud wrtho Mam bod hi ffili cymryd fi ac Alfie Bach y weekend 'na. O'dd 'na'n rial knock achos o'dd fi ac Alfie wedi miso'r tro cynt, felly o'n ni heb weld Mam-gu'n iawn ers mis cyfan. Ond llais hi na'th roi'r ofan mwya i Mam. Wedodd hi bod e'n craco bob whip-stitch, a bod hi'n swno fel 'se hi ofon geire ei hunan. That's odd, I thought, ond cyn i fi ga'l cyfle i weud dim, something came over Mam. A'th hi'n rili pale ac o'dd llyged hi'n quite terrifying, ffili rili disgrifio nhw mewn unrhyw ffordd arall. A'r cwbl wedodd hi o'dd, 'Ma fe'n ôl.'

*

'Na'r tro cyntaf i fi orfod carco Alfie Bach ar ben fy hunan. O'n i'n fifteen ond wystod wedi ca'l rhywun yn edrych drosto fi, ch'weld. Ond nawr, o'dd e jyst fi ac Alfie. Felt proper old achos o'dd e'n teimlo fel 'se popeth wedi newid fel switsh. Jyst fyl'a. O'n i'n fifteen un funud, a'r funud nesaf o'n i fel dwbl 'na.

Ond 'nes i delio gyda fe i gyd fel trooper, fair play i fi. 'Nes i squash coch i Alfie a rhoi rice cake a peanut butter iddo fe gyda tamed o fanana, fel ma fe'n lico. Wedyn na'thon ni wylio ffilm *Stuart Little* achos o'dd Alfie yn fascinated 'da llygod pan o'dd e'n fach, God knows why. O'dd gweld fe'n hapus obviously yn neud fi'n hapus 'fyd, ond o'dd e hefyd yn neud i calon fi frifo tym bach. Smo fi'n gwbod pam, falle o'n i'n jealous bod e'n oblivious i bethe mowr y byd. Ond come to think of it, o'dd e probs achos o'dd 'da fi deimlad rili afiach yn guts fi bod pethe ar fin newid, a bydde gwên Alfie hyd yn oed ddim yn aros 'da ni'n hir iawn.

*

A'th cwpwl o orie heibio a dal dim golwg o Mam. O'dd hi 'di dechre copri erbyn 'ny, felly o'n i'n debato mynd i tŷ Mam-gu i weld beth o'dd y crack a mynd ag Alfie Bach gyda fi. To this day, fi'n diolch 'nes i ddim neud 'na. My God, just imagine the trauma.

Ch'weld, 'nes i ddim gweld Mam tan orie mân y bore wedyn. O'dd hi wedi gorfod mynd trwy loads o bethe formal 'da'r heddlu tra o'dd dau blisman rili neis, ond awkward as hell, yn neud small talk gyda fi gytre. O'dd gorfod aros mor hir amdani hi biti hala fi lan y wal to be honest.

Fi'n gwbod, fi angen baco 'nôl tym bach achos chi probably fel, 'Have I missed something here?' Wel, ar ôl fi tyco Alfie mewn i gwely fe a gweud bydde Mam yn dod â sws iddo fe'n glou, da'th cnoc ar y drws. Pan weles i'r ddau o nhw'n sefyll 'na gyda wynebe caled a lleisie soft yn gofyn, 'Miss Jenkins?', o'n i bron â gweud wrtho nhw fod 'da nhw'r tŷ rong. O'n i jyst yn gwbod beth o'dd 'da nhw i'w weud ond do'dd dim calon 'da fi i glywed y geire. Na'th byd fi i gyd jyst rhyw fath o stopo a mynd ben i waered pryd 'ny. In other words, a'th popeth yn tits up. Smo fi hyd yn oed yn gwbod sut 'nes i lwyddo i bwsho'r geire mas, ond da'thon nhw fel rhyw fath o sgrech o waelod bola fi o beth fi'n cofio: 'He's killed her, hasn't he?!'

*

O'dd Mam ddim yn hapus bo fi moyn gweld y corff. Tamping she was. 'Not something a child should ever see,' bydde hi'n gweud, yn amlwg yn distressed bo fi hyd yn oed yn ystyried y peth. O'dd hi'n anodd bod yn gefen iddi pryd

’ny, achos o’dd y ddwy o ni’n polar opposites yn ffyrdd ni o ddelio ’da’r holl beth. Coping mechanism fi o’dd siarad am y peth trwy’r amser achos o’n i ddim yn gwbod digon, tra o’dd Mam moyn cau popeth mas achos o’dd hi’n gwbod gormod, druan.

Ges i weld y corff yn y diwedd. Na’th Mam ddeall bo fi’n haeddu ca’l gweud ffarwél hefyd, achos o’dd hi’n gwbod bod colli Mam-gu fel colli limb i fi. Ond na’th hi weud wrtho fi bod rhaid i fi fod yn rili ofalus, a bod hi falle’n well cofio Mam-gu fel o’dd hi, fel rhywun mas o ffilm Hollywood o’dd yn llawer rhy precious i fyd mor gas.

Ond mynd ’nes i. A fi’n cofio teimlo fel ’se fi ’di gyllu chwydu tu mewn fi i gyd mas pan weles i ddi ’na. O’dd y colur yn neud shit job o guddio damage Dad-cu, do’dd y dillad amdani ddim steil hi at all, and don’t get me started ar gwallt hi. O’dd e’n fyr at clustie hi ac yn gam i gyd. O’dd Dad-cu wedi gadel marc e drosto hi ac o’n i jyst ffili gweld Mam-gu o gwbwl. Honest to God, o’n i moyn grabo hi a jyst cwtsho a cwtsho a cwtsho hi nes bydde fi’n ca’l fy fforso i adel, ond o’n i ddim moyn twtsh ynddi chwaith achos do’dd hi ddim ’na, ddim rili. Dad-cu o’dd ’na. A na’th ’na neud fi’n grac. Rili grac. Mor grac nes bydde fi ’di gyllu racso’r lle’n ddarne a sgrechen tu mewn fi’n wag a llefen tu mewn fi’n sych. Ond yn lle ’ny ’nes i jyst gwasgu llaw Mam-gu nes o’dd braich fi’n brifo. A fi’n rili meddwl ’nes i gyrraedd ati ’da ’ny, achos fel erio’d, na’th hi lwyddo i dynnu'r gore mas o fi a gwthio'r drwg bant. Absolute star.

*

Sdim llawer o siarad am sut ma bywyd chi'n newid ar ôl colli rhywun agos, especially gyda sefyllfa mor tragic ag un ni. Dim handbook. Chi'n clywed lot o sôn am yr wythnose cynta, pan ma popeth yn struggle a chi jyst yn mynd trwy'r motions o fyw, ond dim llawer am beth sy'n digwydd wedyn. 'Nes i jyst treial get on with it y gore o'n i'n gyllu, achos o'n i'n gwbod bydde Mam-gu moyn 'ny. 'Nes i rili rhoi pen fi lawr 'da GCSEs fi a turns out, fi'n quite smart! Fi moyn gwneud Psychology lawr yn y Diff ar ôl A Levels achos needless to say, fi'n fascinated ac wedi troi mewn i proper bookworm – I'm on my way up!

Same goes 'da Mam. Gath hi rocky few months ac ma hi'n dal i ga'l therapi, ond ma hi'n new woman erbyn nawr. Glow-up, I tell you! Ma hi ar y deiet Mediterranean, yn ca'l 16 owns o celery juice bob bore ac yn berwi bone broth fel 'se dim fory i ga'l. Ma hi hefyd mewn i bethe fel mindfulness a ioga, ac ma hi newydd ga'l promotion yn gwaith. Ma fe'n cweit amlwg fod hi'n treial byw bywyd hi nawr fel o'dd Mam-gu yn neud, ac ma 'na'n sweet pan chi'n meddwl am y peth. Byw y bywyd bydde hi wedi gyllu ei ga'l, ac ma'n teimlo fel 'se rhan o Mam-gu dal 'ma gyda ni.

Ond ma'r guilt yn aros. Ma fe jyst yn teimlo fel rhwbeth rili trwm fi'n gorfod cario rownd yn chest fi trwy'r amser. Ffili stopo meddwl beth fydde fi wedi gyllu neud yn wahanol. Ma fe'n soul-destroying, y guilt 'ma. Mam yn teimlo fe 'fyd. Ni wedi ca'l few chats am y peth ac ma 'na 'di bod yn help mowr, ond smo fi'n meddwl bod e byth am adel fi, na hi. Rhaid ni jyst cario fe rownd gyda ni a dysgu byw 'da fe, I suppose. Dim opsiwn arall rili.

A beth fydd wystod yn baffling fydd y cwestiwn pam. Not so much pam fod Dad-cu wedi lladd Mam-gu, achos o'dd e'n amlwg o edrych ar diaries hi bod e 'di bod yn abusive erio'd (o'dd darllen nhw'n heartbreaking, ond nage storis fi yw nhw i'w gweud, felly gwell cau chops fi). Na, ddim 'na o'dd y cwestiwn o'dd yn buggo fi am dri y bore. Y cwestiwn o'dd, pam fod Mam-gu wedi cymryd e'n ôl?

Love is blind, 'na beth fydde Mam yn gweud bob tro bydde fi'n holi, ac o'dd 'na'n neud fi'n rili drist. Ch'weld, o'dd Mam-gu yn gwbod bod Dad-cu y math gwaetha o ddyn o'ch chi'n gyllu ca'l, ond o'dd hi'n dal ar glinie hi'n gofyn iddo fe garu hi. Achos my God, did she love him! O'dd y diaries yn dangos 'ny.

Ac o'dd hi'n rial optimist, Mam-gu. O'dd hi wir yn credu yn calon hi fydde hi'n gyllu neud dyn teidi ohono fe ryw ddydd. Dyn fydde'n cynnig paned iddi pan fydde fe'n dodi'r tegell i ferwi, yn gweud wrthi bod gwallt hi'n neis wedi ei dynnu'n ôl ar yr ochre, ac yn gafael ynddi, jyst am unweth yn gafael ynddi mewn ffordd fydde ddim yn gadel hôl clais.

Er fy mwyn fy hun

'I think I deserve something beautiful.'

— Elizabeth Gilbert

Dwi ddim yn cofio adeg pan nad o'n i'n byw ar fy nerfau. Dwi'n meddwl 'mod i wedi fy ngeni felly, efo synnwyr o ofn oedd yn anghyffredin o finiog. Roedd Mam yn arfer dweud na chafodd hi ddim hwyl efo fi wrth fagu, achos o'n i'n un fach mor ddifrifol. Roedd hi'n teimlo ei bod hi wedi rhoi genedigaeth i blentyn yn ei thridegau, efo morgais a swydd a biliau i'w talu. Roedd hi'n methu'n glir â 'nghael i i fwydo nac i setlo, ac o'n i'n *constipated* rownd ril. Pan mae Mam yn dweud hyn i gyd rŵan, a finna'n oedolyn, mi fydd hi'n ychwanegu, 'Ond dwi'n falch 'mod i wedi dy gael di hefyd, cofia.' *Nice one*, Mam.

Ond dwi *yn* teimlo'n ddrwg weithia, achos dwi'n gweld pa mor dda mae Mam efo'n rhai i rŵan, gymaint mae hi'n licio nhw yn yr oed yna. Dwi'n teimlo'n euog am fy niffygion i pan o'n i'n iau, yn fabi boring oedd yn methu cachu hyd yn oed. Be wyt ti i fod i'w neud efo babi fela? Mi fydda hi'n trio chwara Gee Geffyl Bach efo fi, ond mi fydda'r ysgwyd yn gwneud imi chwydu bob tro. Mi fydda hi'n trio fy nghael i chwarae clai, ond oedd gas gen i boetsio fy nwylo. Mi gafodd gwningen imi unwaith hefyd, ond mi es i i boeni'n ofnadwy amdani. *Pam bod ei chlustia hi'n fflopi, Mam? Ydy hi'n drist? A'r hopian, pam hynny? Ydy hi wedi brifo?*

Mae'n syndod bod Mam a finna'n gystal ffrindiau rŵan, a dweud y gwir. Gawson ni *rocky start* go iawn, ond mi wnaethon ni ddod o hyd i dir cyffredin wrth i'r blynyddoedd fynd heibio. Dwi'n meddwl mai ym mlynyddoedd fy arddegau ddigwyddodd hynny, sy'n hollol groes i'r drefn arferol. Ro'n i'n clywed fy ffrindiau yn diawlio eu mamau, a minnau yn ddistaw bach yn addoli f'un i. Ac mae'n siŵr mai'r gorbryder oedd y llinyn arian oedd yn ein cadw ni'n dynn yn ein gilydd, achos mi oedd profiad y ddwy ohonom ni mor debyg. Mi o'n i wastad yn gallu dibynnu ar Mam i fod yno efo'i Rescue Remedy ac i bwyso ar fy *pressure points*.

Ond roedd o wir yn afiach. Mi fyddwn i'n arfer mynd i gymaint o stad, a hynny heb unrhyw fath o rybudd. Dyna oedd waetha, dwi'n meddwl, y ffaith nad o'n i'n gallu darogan bod pwl drwg yn dod drosta i. Mi fyddwn i ar ben fy hun bach yn darllen, a mwya sydyn, mi fyddai'n dod drosta i fel ryw felltith. Fel taswn i'n sgodyn wedi cael fy nhaflu allan o ddŵr ac yn fflopian rownd y lle fatha rwbath gwirion. Ac yn amlwg, mae panig yn gwneud i rywun banicio, sy'n chwyddo mwy ar y panig gwreiddiol, wedyn dach chi'n cael eich gadael efo panig ar ben panig ar ben panig…

Dwi'n mynd i grynu fel peth gwirion pan mae'n digwydd i fi, nes dwi'n methu sadio. Mae'r symptomau cyffredin eraill i gyd yno hefyd – y geg sych, y pinnau bach, penysgafndod diawledig. Ac yn eironig iawn, mae'r panig 'ma'n chwarae ar fy stumog i, ac yn gwneud imi – *wait for it* – bibo. Mi dwi un ai wedi rhwymo neu'n pibo – dydy 'nghorff i ddim yn dallt *happy medium*. Peth cas, yn enwedig pan mae'n digwydd mewn lle diarth. Dwi'm yn meddwl 'mod i wedi nabod panig fel bod allan yn gyhoeddus a theimlo'ch bol chi'n dechrau neud campau a synau rhyfadd, a dach chi jest yn gwbod bod rhaid i chi ddod o hyd i doiled o fewn canllath neu fyddwch chi wedi pibo yn y fan a'r lle. *Cue* yr olygfa yn y ffilm *Bridesmaids* lle mae'n rhaid i'r briodferch bibo yng nghanol y ffordd yn ei ffrog briodas. Alla i ddim dychmygu hunllef waeth.

Doedd gen i ddim syniad sut beth oedd hyder, ond ro'n i'n gallu dychmygu ei fod o'n beth mor hardd i'w gael os oedd rhywun yn gwybod sut i'w ddefnyddio fo'n iawn. Doedd 'na ddim byd oedd yn codi 'nghalon i fel gweld merch yn gwisgo ei hyder yn dlws. Ond eto, ro'n i'n arfer teimlo ryw bigyn blin tu mewn imi bob tro o'n i'n ei weld o, achos mi faswn i wedi rhoi'r haul i gael bachu tamaid bach ohono oddi arni.

Yn y brifysgol ro'n i ar fy ngwaethaf. Dwi'n cofio fy ffrindiau i'n ei lordio hi o gwmpas strydoedd Bangor gyda'r hwyr, a finnau fel 'swn i'n cerdded ar flaenau 'nhraed tu ôl iddyn nhw, yn ofni sŵn fy nghamau fy hun. Ond sut oedden nhw'n gallu dod adref efo'r hogia 'ma ar nosweithiau Sadwrn, dyna oedd yn fy synnu i fwya. Roedden nhw'n caru mor hawdd, yn gallu gadael i hogia ddod mor agos heb orfod malio am eu bregusrwydd. Ro'n i isio hynny.

Ond doedd o jest ddim yn fy natur i. Mi fydda hogia'n trio efo fi, ond ro'n i mor anobeithiol. Ac mi fydda fy ffrindia i'n hollol gegrwth efo hyn, yn dweud 'mod i'n *gorjys* a bod pob hogyn yn mopio efo'n llgada glas a 'nghyrls gola i, a'i bod hi'n syndod 'mod i'n methu â'i weld o'n hun. Ond do'n i ddim, ddim o gwbl. O'n i'n meddwl 'mod i'n blaen ac yn anniddorol, yn rhy fain ac efo dannedd cam fel cerrig beddi. Roedd fy amherffeithrwydd yn fwrn arna i, ac mi fyddwn i'n treulio oriau bwygilydd yn obsesiynu dros bob dim a oedd yn 'anffodus' am fy ngolwg.

Dwi'n teimlo 'mod i'n eithriadol o negyddol yma, ond *hear me out*. Mi oedd 'na adeg pan oedd byw yn fy nghroen fy hun yn teimlo fel tasg amhosib. Gari ddysgodd fi sut i licio'r rhannau ohona fi oedd wedi bod yn anghyffyrddadwy cyn hynny. Roedd o'n meddwl bod yr haul yn tywynnu allan o 'nhin i – felly mae o'n dal i fod hyd heddiw. Ond eto, wnaeth o ddim fy nysgu i sut i *garu*, roedd hwnnw'n air rhy fawr imi. *Braidd yn fyfiol, yndi ddim?* Felly o'n i'n arfer meddwl.

Wedyn mi ddoth Grês a Neli, ac mi es i'n fwy rownd fy nghanol. 'Nes i ddim bownsio'n ôl, achos mi 'nes i rwygo gymaint ar ôl geni'r ddwy nes 'mod i'n cael trafferth symud o gwbl am fisoedd wedyn. Roedd *meddwl* am wneud *starjumps* a *jumping jacks* yn ddigon i wneud imi fod isio crio, heb sôn am eu gwneud nhw. Cofio tisian unwaith yn nhŷ ffrind a theimlo'n hun yn… be ddeudan ni? Gollwng? Sôn am *traumatic*, mi 'nes i wisgo clwt o hynny ymlaen.

Ta waeth, dwi'n mynd ar gyfeiliorn yma rŵan. Be sy'n bwysig ydy 'mod i wedi rhoi cefndir i chi. Mi a' i i sôn nesa am y gwylia yn Swistir ddwy flynedd yn ôl. Mi fyddwn ni'n trio mynd bob Dolig i rwla, ac mi oedd Gari yn un da am sgio, felly mi 'nes i ildio i'w swnian yn y diwadd. Do'n i, ar y llaw arall, ddim y gora. Doedd gen i ddim *core muscles* cry' iawn ers cael y genod, felly doedd gen i ddim balans gwerth sôn amdano.

Mi ddisgynnais i'n fuan iawn ar ôl cyrraedd. Mae Gari yn hen ddiawl am chwerthin am fy mhen i pan dwi'n codi cywilydd arna i fy hun, ac felly 'nes i ddim byd ond codi ar fy nhraed, rhoi cic hegar i'w grimog a chario ymlaen. Ond y noson honno wedyn, mi deimlais i fy mron chwith yn brifo, ac mi roedd 'na glais go hegar wedi codi. 'Nes i ddim meddwl dim byd am y peth, ac am weddill y gwylia mi fues i'n yfed gwin a darllen tra bo'r lleill yn mynd o gwmpas eu petha ar yr eira. Do'n i'n eiddigeddu dim.

Ond adra, mi 'nes i ddechra talu sylw'n iawn i'r clais. Dwi'n cofio'i studio fo'n agos, a meddwl mor hardd oedd o. Y piws a'r melyn a'r coch yn llifo drwy ei gilydd fel machlud drud. Roedd o o faint sylweddol hefyd, 'run maint â fy nwrn i yn braf. Ond yn hytrach na mendio wrth i'r dyddiau basio, hel mwy o liwiau wnaeth y clais. A'r rheiny'n lliwiau peryclach yr olwg, fel 'sa'r machlud yn gadael ac yn gwneud lle i storm.

Mynd at y doctor i gael fy *smear test* 'nes i, a digwydd sôn bod gen i glais a oedd yn gyndyn o glirio. Mae'n rhyfedd sut iddo fo deimlo'r lwmp yn syth, a minnau heb deimlo dim. Lwmp yn ddwfn o dan y croen, fel tasa fo'n chwarae mig efo fi. Ddeudodd o bod o fwy na thebyg yn ddim byd, bod 'na gymaint o'r lympia 'ma'n codi a'u bod nhw'n hollol ddiniwed, ond mi ddeudodd o mai *mammogram* oedd y ffordd ymlaen, 'Jest i neud yn saff'.

Dwi wedi byw dau fywyd – bywyd cyn y canser, a bywyd ar ei ôl o. Mae'r ddau fywyd mor annhebyg, fel cyfnitherod pell. Mae pawb sydd wedi cael diagnosis o ganser yn cofio'r diwrnod fel ddoe. Y diwrnod tyngedfennol hwnnw pan mae'r arbenigwr yn adrodd y gair drwg sy'n dechrau efo C, cyn mynd ymlaen i sôn am y prognosis a pha driniaethau sy'n cael eu cynnig. A fyddwch chi ddim yn cofio dim o'r rheiny, achos mi fydd eich pen chi'n niwl dopyn a'ch gallu chi i brosesu gwybodaeth yn rhemp.

Ond yr hyn sydd wedi'i serio ar fy nghof i'n fwy na dim byd arall ydy cyrraedd adref y diwrnod hwnnw a gweld y ddwy fach a Gari yn gwneud crefftau ar fwrdd y gegin. Roedd bob dim yn bapur sidan a stic a *glitter*, a'r haul yn uwcholeuo'r hud i gyd. Dwi'm yn meddwl imi deimlo cariad fel yna erioed o'r blaen, ei deimlo fo efo bob rhan ohona i, fel tasa fy nhu mewn i'n coelcerthu. Ond dwi chwaith erioed wedi teimlo mor desbret – mor desbret o fod isio cadw'r olygfa o fy mlaen yn union fel yr oedd hi, isio cadw eu chwerthin a'u direidi, a'u harbed nhw rhag bob dim drwg yn y byd. Ond nid felly oedd hi i fod. Mi gododd Gari ei ben, fy ngweld i yno'n sbio, a gwybod yn syth bod 'na rwbath yn bod. Dydy rywun methu cuddio rwbath fel'na.

Mi 'nes i ddechrau'r cemo yn syth. A dim jest colli gwallt a blew ydy cemo; cemo ydy derbyn dogfen wyth tudalen am y sgileffeithiau posib sy'n dod efo fo. O'n i'n mynd mor, mor sâl. Dim ots faint o dabledi o'n i'n eu cael i atal y taflyd i fyny, mi o'n i'n dal i chwydu bob pryd bwyd nes bod fy ngwddw i'n sgaldio. O'n i'n pibo fel llo hefyd, felly roedd cyfran fawr o'n amser i'n cael ei dreulio yn y tŷ bach. Ond y blinder oedd waetha gen i, a hwnnw wedyn yn fy ngwneud i'n isel. Dwi ddim yn gwybod sut i'w egluro fo mewn ffordd fasa'n gwneud cyfiawnder efo'i anferthedd

o. Bob bore mi fyddwn i'n deffro, ond prin iawn y byddwn i'n codi. Roedd y dydd yn rhy swnllyd a llachar imi allu ei ddilyn o drwy'r drws. Doedd gen i mo'r nerth na'r awydd. Y cwbl o'n i isio'i wneud oedd lapio fy hun yn belen dynn ac aros yno'n llonydd tan i'r nos ddod eto. Doedd byw ddim yn apelio ata i, a dyna fo.

Ond roedd gen i'r genod. Roedd gen i Gari. Ro'n i'n gwrthod gadael i ganser godi mur rhyngom ni. Mi fyddai hynny fel gadael iddo fo ennill, a do'n i ddim am roi'r fuddugoliaeth iddo fo ar blât. Felly, mi ddechreuais i'n ara deg. Ymolchi, gwneud pwt o frecwast i mi fy hun, hel mwytha efo'r genod. A hyd yn oed os mai dyna'r cwbl fyddwn i'n gallu ymdopi efo fo mewn bore, roedd o'n ddigon i wneud bywyd yn werth ei fyw. Ro'n i'n gwasgu bob diferyn olaf o amser efo nhw a gwneud yn fawr ohono, gwneud y *mwyaf* ohono. Achos ers y diagnosis, mi o'n i wedi dechrau talu sylw go iawn i'r cloc y tu mewn imi– y tic-toc yn bygwth arafu, yn bygwth stopio'n gyfan gwbl.

Roedd gen i apwyntiad am un ar ddeg y bore, ond dwi'n cofio deffro a gwrthod mynd. Roedd 'na rwbath cynhenid y tu mewn imi oedd yn trio gosod y pellter mwyaf posib rhyngof i a'r stafell wen. Roedd Gari yn barod i fy llusgo i i'r car gerfydd fy fferau, ond mi ildiais yn y diwedd ac ymddwyn fel plentyn bach wedi cael cam yr holl ffordd i'r sbyty. Mi ddysgais i'r diwrnod hwnnw mai pur anaml mae greddf yn dweud clwydda, achos dyna lle roedd o, y doctor, a'i lygaid yn llawn gaeaf. Y cemo ddim wedi gweithio, y canser wedi lledaenu, chwe mis. *Chwe* mis.

Mi ddeudis i gynna 'mod i wedi byw dau fywyd, ond dydy hynny ddim yn wir. Mae 'na fywyd arall hefyd. Mae bywyd ar ôl diagnosis o ganser terfynol yn sefyll ar ei draed ei hun. Mae o'n fywyd lle 'nes i sylweddoli nad oedd modd imi ddianc rhag fy meidroldeb fy hun. 'Nes i ddechrau meddwl mwy am ben y daith, i le faswn i'n mynd, faswn i'n gallu edrych i lawr ar y plant a Gari yn dal i fynd o gwmpas eu petha – petha felly. Ac ar y dechrau, wrth reswm, mi aeth fy ngorbryder i'n honco bost. Roedd o fel tasa'r gorbryder wedi penderfynu injectio steroids, clecio paneidiau coffi a mynd ar reids mewn ffair, i gyd ar yr un pryd. A doedd 'na ddim llonydd oddi wrtho fo, roedd o'n gorfodi ei hun ar bob agwedd o 'mywyd i. Roedd fy mreuddwydion i, hyd yn oed, yn llawn dop o betha rhyfadd, a minna'n gwglio eu hystyron nhw ar Dream Moods drannoeth. Un o'n i'n ei chael yn aml oedd breuddwydio 'mod i'n colli fy nannedd, bob yn un. Ystyr hynny oedd 'mod i'n delio efo colled bersonol, ddwys, ac mewn ffordd, mi o'n i. O'n i'n galaru am fy ngorffennol di-lol a'r dyfodol nad oedd i fod. Ac roedd o'n alar poenus gan ei fod o mor annhymig, mor erchyll o ifanc.

Ddaru'r galaru fyth stopio, ond ddaru 'na rwbath arall

hawlio mwy o le y tu mewn imi. Na'th o ddim datblygu'n raddol chwaith, ddaru mi jest deffro ryw fora a'i deimlo fo'n llifo drwydda fi, y brys mawr 'ma i fyw fy mywyd heb ffiniau. Chwe mis, *chwe* mis. A hwnnw bellach yn bump gan 'mod i wedi treulio'r mis cynta yn dod i delerau efo'r ffaith na fyddwn i'n gallu chwarae rôl y fam, y wraig na'r ferch ar ôl hynny. Ond do'n i ddim yn digio efo fi fy hun, achos mae galaru angen ei amser. Heb y galaru, fyddwn i ddim wedi gallu symud ymlaen i'r cam nesaf, sef byw. Byw go iawn. Dim byw i dalu biliau a bwydo cegau a thwtio a golchi a sychu a molchi, ond byw, jest *byw*. Ac nid jest er mwyn fy mhlant, fy ngŵr, fy ffrindiau. Er fy mwyn fy hun.

Mi 'nes i ddechra prynu *smoked salmon* i'w gael i frecwast, bara neis o Dylan's i fynd efo fo. O'n i'n brecwasta fel cwîn, ac mi es i mor bell â phrynu afocados i fynd efo'r pryd, heb falio dim am bris y cwbl. Ac wrth gwrs, roedd rhaid cael diod afal Pant Du i olchi'r bwyd i lawr, ac felly fuodd hi. A wnes i ddim stopio yn fanno, naddo wir. Mi wnes i ddechra rhedeg bath i mi fy hun adeg te deg, a mynd â fy Earl Grey i fyny efo fi. Ambell dro, mi fyddwn i yno'n socian am awr yn braf, pan na fyddai dim byd arall yn galw. Llond dyrniad o Epsom Salt i lacio'r clymau tu mewn imi, ac yna taenu hylif llaethog, drud drosof, a oedd yn gadael fy nghroen yn llyfn fel canol cragen.

Mi ddechreuais i wisgo minlliw tywyll, peryglus, a chyrlio fy amrannau. Yn lle apwyntiadau gwallt, mi ddoth yr apwyntiadau i gael gwneud fy ewinedd. At y dillad, mi ddoth y sgarffiau i addurno fy mhen moel. Ac yn lle'r pryder, mi ddoth yr hyder. A hwnnw'n hyder dihafal, yn un a oedd yn perthyn i ddynes a oedd yn gwybod ei bod hi'n marw. Doedd dim *ots* gen i ddim mwy. Mi faswn i wedi gorweddian yn noeth yn yr ardd gefn heb hidio dim. Wnes i ddim, ond fasa 'na ddim byd wedi fy nal i 'nôl os faswn i isio. Roedd gen i floneg a *stretchmarks*, ac roedd yr un fron oedd gen i'n weddill fel tasa hi ar ras i gyrraedd at fy nhraed i, ond ro'n i'n fodlon ar fy amherffeithrwydd. Ar ôl yr holl flynyddoedd o ddiawlio fy modolaeth fy hun, mi ddechreuais i ei barchu o, ei *garu* o hyd yn oed. Caru.

Ar y dechrau, ro'n i'n trio gwasgu cymaint o bethau â phosib i mewn i ddiwrnod gan 'mod i'n fwy ymwybodol fyth o'r ffaith nad oedd fory wedi'i addo. Ond wrth i'r dyddiau fynd rhagddynt, mi ddechreuais i wirioni ar y grefft o wneud diawl o ddim byd. Gwirioni ar jest *bod*, yn hytrach na gwneud. Dotio at y ffaith nad oedd gen i lawer i'w ddangos am ambell i ddiwrnod, dim ond pethau bach fel sws plentyn, cyffyrddiad câr, paned dda. Pethau bach mawr, dyna oedden nhw mewn gwirionedd. Byswn, 'swn i'n licio dweud 'mod i wedi neidio allan o awyren yn yr amser yma, wedi cerdded y Grand Canyon a gweddïo wrth droed Christ the Redeemer, ond 'nes i ddim. 'Nes i rwbath mwy cofiadwy byth. 'Nes i aros adref yng ngwres fy nheulu.

Pe baech chi'n gofyn imi ym mha fywyd o'n i fwyaf dedwydd, mi fyddwn i'n ateb drwy ddweud yr un yma. Peidiwch â 'ngham-ddallt i, dwi isio gweld fy merched yn priodi, dwi isio dal i allu caru efo Gari nes fydda i'n hen. Mae gwybod na fydda i o gwmpas bryd hynny yn achosi'r fath wacter nes imi daeru bod carreg ateb y tu mewn imi. Ond dwi'n meddwl 'mod i wedi maddau i'r hen fyd 'ma am fyrhoedledd fy mywyd i. Dwi wedi maddau iddo am bryder fy mhlentyndod, angst fy llencyndod, am bob magl a ddaeth i'm rhan fel oedolyn. Achos mae bob profiad bach wedi dod â fi i fama. Dwi'n fyw, dwi *wedi* byw, a dwi'n barod at bob fory sydd gen i'n weddill.